Español en marcha 3

Curso de español como lengua extranjera

Libro del alumno

Francisca Castro Viúdez
Ignacio Rodero Díez
Carmen Sardinero Franco

ele

Español Lengua Extranjera

SOCIEDAD GENERAL ESPAÑOLA DE LIBRERÍA, S. A.

SGEL

Primera edición, 2006
Segunda edición, 2007

Produce SGEL – Educación
Avda. Valdelaparra, 29
28108 Alcobendas (MADRID)

© Francisca Castro, Carmen Sardinero, Ignacio Rodero

© Sociedad General Española de Librería, S. A., 2006
Avda. Valdelaparra, 29, 28108 Alcobendas (MADRID).

© "Si tú me dices ven" (A. Bojalil) by Géminis Musical, S. A.
Autorizado a BMG Music Publishing Spain, S. A. Todos los derechos reservados.
© Joaquín Salvador Lavado (QUINO) Todo Mafalda - Editorial Lumen, 1992 (pág. 13).

Diseño de cubierta: Fragmenta comunicación S. L.
Maquetación: Verónica Sosa y Leticia Delgado
Ilustraciones: Maravillas Delgado
Fotografías: Cordon Press y Archivo SGEL.

ISBN-10: 84-9778-239-9
ISBN-13: 978-84-9778-239-5
Depósito legal: M-1991-2007
Printed in Spain – Impreso en España.

Impresión: Orymu, S.A.

Presentación

Español en marcha es un método que abarca los contenidos correspondientes a los niveles A1, A2, B1 y B2 del *Marco común europeo de referencia*. Al final de *En marcha 3*, los estudiantes podrán comprender textos en lengua estándar de temas conocidos por todos. También serán capaces de describir experiencias, acontecimientos, deseos y aspiraciones en términos sencillos. En cuanto a la habilidad de escribir, se pretende que al finalizar este curso puedan producir textos sencillos y coherentes sobre temas familiares o relacionados con su trabajo. En general, podrán desenvolverse en las diversas situaciones que puedan surgir, por ejemplo, en un viaje por un país de habla hispana.

El libro consta de 12 unidades, organizadas en varias secciones.
- Tres apartados (*A, B y C*) de dos páginas cada uno, en los que se presentan, desarrollan y practican los contenidos lingüísticos y comunicativos correspondientes. Cada apartado constituye una unidad didáctica que sigue una clara secuenciación desde una primera actividad de asentamiento del contexto hasta las actividades finales de producción.

  A lo largo de cada unidad el estudiante tiene la oportunidad de practicar intensivamente todas las destrezas (leer, escuchar, escribir y hablar), así como de reflexionar sobre las cuestiones gramaticales más características del español. También se presenta sistemáticamente el vocabulario y la pronunciación del español. En este nivel hemos dedicado una atención especial a la práctica de la acentuación.

- Un apartado (*Escribe*) destinado exclusivamente a trabajar la expresión escrita. Se ofrecen modelos de textos escritos, así como tareas intermedias donde se le proporcionan al aprendiz estrategias necesarias para que pueda producir diferentes tipos de textos.

- Un apartado denominado *De acá y de allá*, que contiene información del mundo español e hispanoamericano y tiene como objetivo desarrollar la competencia tanto sociocultural como intercultural del estudiante.

- El apartado de *Autoevaluación* tiene como objetivo recapitular y consolidar los objetivos de la unidad. Al final de este apartado se incluye un breve test de autoevaluación con el que el aprendiz podrá ver su progreso según los descriptores del *Portfolio europeo de las lenguas*.

Al final de las unidades se incluye un modelo de examen del DELE, nivel inicial, para que los estudiantes puedan practicar dicha prueba.

A continuación aparece una completa *Referencia gramatical* y *léxico útil* organizada por unidades, una tabla de verbos regulares e irregulares y las transcripciones de las grabaciones del CD.

Español en marcha 3 puede ser utilizado tanto en clases intensivas (de tres o cuatro horas diarias) como en cursos impartidos a lo largo de todo un año.

contenidos

Fernando, 67 años, jubilado.

Rocío, 20 años, dependienta.

Carlos, 12 años, estudiante.

1A

1. Piensa en algunos de tus hábitos y háblales de ellos a tus compañeros.

Me levanto temprano, oigo música, veo la tele y voy a nadar dos veces a la semana.

2. Mira las fotos y lee la lista de actividades. ¿Quién crees que realiza cada una de ellas? Escribe el nombre.

Carmen, 40, ama de casa.

1. Leer novelas	*Rocío*
2. Salir con los amigos	
3. Tocar el piano	
4. Escuchar música	
5. Montar en bici	
6. Jugar al fútbol	
7. Ver la tele	
8. Estudiar ruso	
9. Ir a la playa	
10. Chatear	
11. Oír la radio	
12. Hacer la comida	

3. Escucha y comprueba tus respuestas. **1** 🔊

4. Escucha otra vez y señala V o F. **1** 🔊

1. A Carlos le gusta ir a la playa.	V
2. Carlos toca el piano los domingos.	☐
3. Fernando lee las noticias todos los días.	☐
4. Rocío lee una novela a la semana.	☐
5. Carmen trabaja en la escuela de idiomas.	☐

HABLAR

5. Pasea por la clase y encuentra a alguien que cumpla alguna de estas condiciones. Escribe el nombre. Luego pregúntale cuánto tiempo hace que realiza esa actividad o tiene ese estado.

A. *¿Estás casado?*

B. *Sí.*

A. *¿Cuánto tiempo hace que te casaste? /¿Desde cuándo estás casado?*

B. *Dos años.*

	Nombre	Tiempo
1. Está casado/a		
2. Escucha la radio		
3. No le gusta el chocolate		
4. No le gusta el fútbol		
5. Escribe (poesías, un diario)		
6. Toca un instrumento musical		
7. Le gusta madrugar		
8. Va a la discoteca		
9. Tiene carné de conducir		

COMUNICACIÓN

> **Preguntar y responder sobre el tiempo que hace que se realiza una actividad**
>
> A. *¿Cuánto tiempo hace que te casaste?*
> B. *Diez años.*
>
> A. *¿Cuánto tiempo hace que estudias español?*
> B. *Un año y medio.*
>
> A. *¿Desde cuándo estudias español?*
> B. *Desde hace dos años.*
> C. *Yo, desde abril del año pasado.*

6. Relaciona.

1. ¿Cuánto tiempo hace que vives en esta ciudad? ☐ C
2. ¿Desde cuándo te gusta el jazz? ☐
3. ¿Desde cuándo trabajas en esta empresa? ☐
4. ¿Cuánto tiempo hace que no vas al cine? ☐
5. ¿Cuánto tiempo hace que viste a Elena
   la última vez? ☐

   a. Desde que escuché un concierto en la
universidad. **b.** Unos tres meses. Vi una película de
Ricardo Darín. **c.** Diez años. Antes vivía en Sevilla.
   d. Un año, más o menos. La vi en la boda de
Antonio. **e.** Desde que terminé mis estudios de
administración.

7. Escribe las preguntas y respuestas adecuadas
siguiendo el modelo. Luego, comprueba con tu
compañero.

1. Salir con este chico / medio año.
   – *¿Cuánto tiempo hace que sales con ese chico?*
   – *(Hace) medio año.*
   – *¿Desde cuándo sales con ese chico?*
   – *Desde hace medio año.*

2. Jugar al tenis / dos años.
3. Empezar la película / diez minutos.
4. Esperar el autobús / casi veinte minutos.
5. Tener carné de conducir / enero.
6. Conocer a Pilar / 2001.
7. Tener móvil / 2004.

ESCRIBIR

8. Completa la carta de presentación de este estudiante
de español.

Me llamo Marcelo Chaves y soy brasileño.
nací (1) en São Paulo, pero _____ (2) en Río
de Janeiro desde que _____ (3) cinco
años. Mi padre _____ (4) médico, y mi
madre, ama de casa. _____ (5) dos hermanos, Emilio y Rosana.
_____ (6) periodista. _____ (7) Periodismo en
la universidad y actualmente _____ (8) en el
periódico El Globo de Río desde _____ (9) dos
años. En mi tiempo libre me gusta _____ (10) al
fútbol, ir a la playa y salir con mis amigos.
También me gusta _____ (11) leer, especialmente libros de viajes.
Ahora _____ (12) español porque lo necesito
para mi trabajo, para comunicarme con mis co-
legas hispanoamericanos. En el futuro me gustaría _____ (13) a algún país hispanoamericano
como corresponsal. De momento, el verano
próximo _____ (14) a España de vacaciones.

9. Escribe una carta de presentación sobre ti mismo
como la anterior. Intercámbiala con un compañero.

1
A

B. Pasado, presente y futuro

1. Primero, piensa y escribe unas diez cosas que hiciste el domingo pasado. Luego, pregunta y responde a tu compañero, sin mirar la lista.

A. *¿Qué hiciste el domingo pasado?*

B. *Me levanté a las 10, desayuné café con churros, compré el periódico, lo leí, comí con Carlos. Por la tarde fui a ensayar con mi grupo de música.*

2. Relaciona.

1. Yo creo que este año **ganará** la Liga el Barcelona. D
2. Normalmente no **como** en casa, como en el restaurante de la empresa. ☐
3. Eduardo **ha viajado** por todo el mundo. ☐
4. Hace 100 años las mujeres no **tenían** muchos derechos. ☐
5. El año pasado **estuvimos** de vacaciones en Marbella. ☐
6. Este verano **vamos a ir** de vacaciones a Galicia. ☐

a. Pretérito perfecto. b. Pretérito imperfecto.
c. Pretérito indefinido. d. Futuro.
e. Futuro para planes. f. Presente.

3. Completa las frases con el verbo en la forma más adecuada.

1. Hoy no he ido a trabajar porque (ir) *he ido* al hospital para hacerme una revisión.
2. Antes a Laura no le (gustar) _____ ninguna verdura, ahora le _____ algunas, como las espinacas y los guisantes.
3. El domingo pasado mis amigos y yo (ir) _____ a la playa y nos lo (pasar) _____ muy bien.
4. A. ¿Qué (hacer) _____ este fin de semana?
   B. Nada especial. El sábado (limpiar) _____ la casa y el domingo (ver) _____ una película de DVD.
5. En las noticias de la radio (decir) _____ que mañana (hacer) _____ mal tiempo.
6. Si (terminar, yo) _____ pronto este trabajo, (poder) _____ salir un poco antes de la oficina.
7. A. ¿(Comer) _____ alguna vez paella?
   B. Sí, la (probar) _____ hace tiempo en Valencia.
8. A. ¿Ya sabes qué (hacer) _____ en las vacaciones de Semana Santa?
   B. Sí, (ir) _____ con mis padres a Egipto. Ya (reservar) _____ los billetes en la agencia.

LEER

4. Mira la foto. ¿Conoces al bailarín?

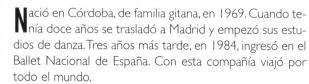

Nació en Córdoba, de familia gitana, en 1969. Cuando tenía doce años se trasladó a Madrid y empezó sus estudios de danza. Tres años más tarde, en 1984, ingresó en el Ballet Nacional de España. Con esta compañía viajó por todo el mundo.

En 1992 creó su propia compañía. Con su primer espectáculo, *Cibayí*, recorrió Japón, Francia, Italia, Venezuela y Estados Unidos. El segundo montaje, y el más famoso, fue *Pasión gitana*, con el que también obtuvo un gran éxito en España y en gran parte del mundo. En octubre de 1999 estrenó, en el Teatro Tívoli de Barcelona, un nuevo espectáculo: *Soul*, que se representó en Londres, Pekín, Hannover, Beirut…

Ha trabajado en algunas películas con directores tan importantes como Pedro Almodóvar (*La flor de mi secreto*) y Carlos Saura (*Flamenco*).

Desde 2001 representa por todo el mundo la obra *Live*, recopilación de todo su trabajo anterior.

Joaquín Cortés tiene un estilo propio, mezcla de flamenco, ballet y jazz, una buena combinación para triunfar.

Gracias a él, el flamenco es ahora más internacional que nunca.

1 B

5. Completa las preguntas y responde según el texto.

1. ¿Dónde nació Joaquín Cortés?
   En Córdoba.
2. ¿Cuántos años _____ cuando _____ a Madrid?
3. ¿En que año _____ su propia compañía?
4. ¿Cuál _____ su segundo montaje?
5. ¿Dónde _____ Soul?
6. ¿Con quién _____ en el cine?
7. ¿Qué obra _____ en la actualidad?
8. ¿Cómo _____ el estilo de Joaquín Cortés?

6. Subraya los verbos que aparecen en el texto en pretérito indefinido y el marcador temporal que les corresponde.

Nació…   en 1969

GRAMÁTICA

Pretérito indefinido / pretérito perfecto

*Rosa **fue** el año pasado a Brasil.*
*Rosa **ha viajado** mucho.*

*Cervantes **escribió** El Quijote.*
*Rosa Montero **ha escrito** una veintena de libros.*

***Ganó** en 1987 el premio Ondas.*
***Ha ganado** muchos premios.*

- El pretérito indefinido se utiliza para expresar acciones o estados acabados en un momento determinado del pasado.

- Con el pretérito perfecto también hablamos de acciones acabadas, pero sin determinar el momento en el que ocurrieron.

7. Subraya el verbo adecuado.

1. Rosalía *vivió / ha vivido* en Lima hasta 1951.
2. Mis hermanos nunca *salieron / han salido* al extranjero.
3. A. ¿*Tuviste / Has tenido* alguna vez algún accidente grave?
   B. Sí, en 1998 mi coche *chocó / ha chocado* con un camión. *Estuve / he estado* diez meses en el hospital.

4. Federico en su juventud *vivió / ha vivido* en muchos sitios: Roma, Copenhague, Varsovia…
5. A. Hablas muy bien español, ¿dónde lo *aprendiste / has aprendido*?
   B. *Empecé / He empezado* hace diez años en la escuela y cuando *terminé / he terminado* mis estudios, *vine / he venido* a Mallorca a trabajar.
6. A. ¿Qué tal el fin de semana?
   B. Bien, el sábado *fui / he ido* a ver un partido de fútbol y el domingo *invité / he invitado* a comer a Pablo en un restaurante.

ESCRIBIR Y HABLAR

8. Imagina 7 experiencias vitales, emocionantes y escríbelas en un papel. En grupos de cuatro, seleccionad las más emocionantes y leedlas ante la clase.

He visto una serpiente venenosa.

He visto al príncipe Felipe en el supermercado.

He estado varias veces en las cataratas de Iguazú.

1 B

c. Julia me cae bien

1. Decimos que una persona es simpática cuando "nos cae bien" a primera vista. Y tú, ¿crees que eres una persona simpática? Contesta las preguntas y lo sabrás. Después, comenta la puntuación con tu compañero.

¿Eres una persona simpática?

1. **Cuando te presentan a alguien en una fiesta:**

   a. Conversas con ella. ○

   b. Saludas y escuchas lo que dice. ○

   c. Saludas, le pides disculpas y te vas. ○

2. **Si una persona cuenta un chiste no muy gracioso:**

   a. Te ríes bastante. ○

   b. Sonríes. ○

   c. No te ríes nada. ○

3. **Si vas en un viaje organizado:**

   a. Haces amigos desde el primer día. ○

   b. Haces amigos después de algunos días. ○

   c. No te interesa el resto del grupo y vas por tu cuenta. ○

4. **Si te hacen una broma:**

   a. La aceptas con una sonrisa. ○

   b. Te pones serio, pero no dices nada. ○

   c. Te molesta mucho y lo dices. ○

5. **Si un vecino te pide un favor:**

   a. Le ayudas encantado. ○

   b. A veces te molesta, pero finalmente lo haces. ○

   c. Pones una excusa porque no quieres interferencias en tu vida privada. ○

RESULTADOS

Mayoría de a: ☺ ☺ ☺
Eres una persona encantadora, amable y sociable. Muy simpática.

Mayoría de b: ☺ ☺
Puedes llegar a "caer muy bien" si vences la timidez.

Mayoría de c: ☺
Parece que no te gusta nada relacionarte con la gente. Piensa que si te esfuerzas en ser más sociable, tu relación con los demás será más agradable.

1 C

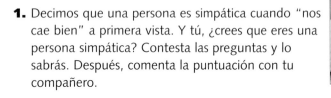

GRAMÁTICA

VERBOS REFLEXIVOS Y VERBOS LE

● Muchos verbos se utilizan habitualmente con los pronombres reflexivos *me, te, se, nos, os, se.*

*Luis **se ríe** mucho cuando ve alguna película divertida.*

Otros ejemplos: *encontrarse* (bien o mal), *llevarse* (bien o mal), *enfadarse, divertirse, preocuparse.*

● Otra serie de verbos siguen la estructura del verbo *gustar,* y necesitan los pronombres *me, te, le, nos, os, les* para funcionar.

*A Lucía **le caen** mal los vagos.*

Siguen este modelo: *molestar* (algo a alguien); *encantar; importar; quedar* (bien o mal); *preocupar* (algo a alguien); *interesar, pasar* (algo a alguien).

● A veces, el mismo verbo puede usarse con las dos estructuras. En este caso, el verbo puede tener significados muy diferentes o, al contrario, no variar apenas.

*Lola **se queda** en casa todos los sábados.*

*A Lola no **le quedan** bien los vaqueros.*

*A Roberto **le preocupan** los problemas medioambientales.*

*Enrique **se preocupa** mucho por sus hijos y por eso les dedica todo su tiempo.*

2. Completa las frases con el verbo y el pronombre adecuado (*me, te, le, nos, os, les*).

> interesar – quedar – caer (x 2) – pasar
> encantar – preocupar – parecer

1. ¿A vosotros qué programas de la tele *os interesan* más, los documentales o los deportivos?
2. A todos los padres ____ _____ el futuro de sus hijos.
3. A. ¿Sabes qué ____ _____ a Alicia? La veo muy seria.
   B. No tengo ni idea. Yo la veo normal.
4. Yo creo que ese jersey ____ _____ grande, no es de tu talla.
5. A. ¿A ti ____ _____ bien Javier?, a mí ____ _____ que es un pesado.
   B. Pues a mí no ____ _____ mal.
6. A mis amigos ____ _____ salir al campo los fines de semana.

3. Subraya el pronombre adecuado.

1. Ayer llovía mucho y los niños no salieron, <u>se</u> / *les* quedaron en casa.
2. José Luis es muy tranquilo, no *se* / *le* preocupa por nada, ni siquiera por su trabajo.
3. ¡Mamá, Javier *se* / *le* ha caído por las escaleras!
4. A. ¿Sabes que Eduardo y Rosa *se* / *le* han separado?
   B. No me extraña, no *se* / *le* llevaban bien.
5. Yo creo que a mi jefe no *se* / *le* cae bien el secretario nuevo.
6. A mi mujer no *se* / *le* molestan los ruidos de las obras, pero a mí sí.
7. ¿Has visto qué mal *se* / *le* queda esa falda a Luisa?
8. A los vecinos del quinto *se* / *les* parece que el ascensor no ha quedado bien.
9. A. ¿Qué *se* / *le* pasa a Celia? Tiene mala cara.
   B. No *se* / *le* encuentra bien.

PRONUNCIACIÓN Y ORTOGRAFÍA

ENTONACIÓN INTERROGATIVA

Podemos distinguir dos tipos de entonación interrogativa.

a) Preguntas absolutas. Tienen un final ascendente.

¿Vamos al cine?

b) Preguntas pronominales. Tienen un final descendente. Empiezan con un pronombre interrogativo.

¿Cuándo te vas?

1. Escucha y repite. **2**

1. ¿Ha venido María?
2. ¿Tienes hambre?
3. ¿Quién ha venido?
4. ¿Estás seguro?
5. ¿Quieres venir?
6. ¿Cómo lo sabes?

2. Escucha y señala la opción correcta. **3**

1. ¿Hace frío? ☐
   Hace frío. ☐
2. ¿No ha venido? ☐
   No ha venido. ☐
3. ¿Quiere comer? ☐
   Quiere comer. ☐
4. ¿Estudia mucho? ☐
   Estudia mucho. ☐
5. ¿Le gusta la tortilla? ☐
   Le gusta la tortilla. ☐
6. ¿Está esperando? ☐
   Está esperando. ☐

1 C

D. Escribe

EL PÁRRAFO.
USO DE LAS MAYÚSCULAS

1. Ordena los párrafos del siguiente escrito.

1. Mucha gente no puede vivir sin amigos pero, ¿qué es la amistad? **1**

2. Para otros, un amigo es el que siempre acude a nuestra llamada. También el que nos conoce en profundidad, más allá de las apariencias. ___

3. Para unos, un amigo es la persona con la que nos sentimos cómodos y con la que podemos expresar libremente lo mejor de nosotros mismos. ___

4. Una buena amistad puede resistir el paso del tiempo, pero hay que cuidarla y regarla como a una planta, pues de lo contrario se seca y se pierde para siempre. ___

5. Pero, sobre todo, un amigo es el que comparte con nosotros los ratos buenos y los malos. ___

EL PÁRRAFO

Formalmente, un párrafo es cada una de las partes de un escrito separadas por un punto y aparte. Desde el punto de vista del contenido, cada párrafo contiene una idea principal. Por tanto, cada vez que queremos cambiar de una idea a otra hay que escribir punto y aparte y cambiar de párrafo.

2. En el correo que sigue, señala (//) dónde acaba cada párrafo.

> **Hola, Mayte:**
>
> Te escribo para presentarme. Me llamo Francesca y nací en Sicilia hace 34 años. Acabé los estudios de auxiliar de enfermería a los diecinueve años en mi ciudad. Me casé en 1999 y tengo un hijo de cinco años. Lo que más me gusta hacer en mi tiempo libre es escuchar música, ver la tele y leer. Me gustan sobre todo las novelas policíacas. Estoy aprendiendo español porque vivo aquí con mi familia desde hace un año y porque me gustan los idiomas. También quiero comunicarme con los españoles. En esta clase espero mejorar mi español escrito y hablado, además de conocer a nuevos compañeros, nuevas culturas.

MAYÚSCULAS

Se escribe con mayúscula

- Al principio de un escrito y después de un punto.
- Los nombres propios de personas, ciudades, países, ríos, etcétera.
  Sevilla, Marruecos, Duero.
- Las palabras que aluden a instituciones.
  el Papa, el Rey, el Tribunal Supremo
- La primera palabra del título de un libro, una película, una obra de teatro.
  Ayer vi **El** *último encuentro.*

3. Escribe las mayúsculas donde corresponde.

el cantante italiano nicola di bari triunfa en el festival de mallorca.

el próximo otoño el papa viajará a méxico.

las obras del río manzanares terminarán en marzo.

el presidente del gobierno ha anunciado una nueva ley antitabaco.

millones de europeos visitan cada año la torre eiffel de parís.

EL VOSEO

1. ¿Conoces alguna diferencia entre el español de España y el español de América?

2. ¿A quién se habla de *tú* y a quién de *usted*?

	TÚ	USTED
a . Al médico		*v*
b . A una dependienta		
c . A tu abuelo		
d . A un camarero		
e . A tu jefe		
f . Al profesor/a		

3. Lee y señala V o F.

1. En Latinoamérica no se usa vosotros. ☑V☐
2. Los latinoamericanos son menos formales que los españoles. ☐
3. En Canarias prefieren "ustedes" a "vosotros". ☐
4. Algunos latinoamericanos hablan de usted a sus parientes. ☐
5. El voseo es utilizar *vos* en lugar de *ustedes*. ☐

El voseo

Una diferencia importante entre el español de España y el de América es el uso de los pronombres personales *vosotros / ustedes / tú*.

La forma *vosotros* apenas se utiliza en Latinoamérica, donde prefieren la forma de cortesía *ustedes*. También se utiliza *ustedes* en algunas partes de Andalucía y en Canarias, aunque con alguna diferencia en la forma verbal.

Los latinoamericanos suelen hablarse de *usted* o de *tú*. Utilizan *usted* para dirigirse a personas mayores, desconocidas o en situaciones formales. En general se utiliza más que en España, donde está muy generalizado el tuteo (uso de tú). No es raro que un hispanoamericano hable de *usted* a sus padres o abuelos, costumbre que en España ha desaparecido.

Por otro lado, en Centroamérica y algunos países de Sudamérica (Argentina, Uruguay y otros) existe la costumbre de utilizar *vos* en lugar de *tú*.

Vos es una forma de tratamiento antigua que en España desapareció en el siglo XVIII, pero que se conserva actualmente en algunas zonas de Sudamérica. Se estima que un 30% de hispanohablantes lo usan actualmente. El voseo (uso de *vos*) obliga a cambios en la forma del verbo.

España	Argentina
Tú eres	*Vos sos*
Tú cantas	*Vos cantás*

1 D

E. Autoevaluación

1. Completa las preguntas.

1. A. ¿ Cómo te llamas de apellido?
   B. *Martínez Herrero.*

2. A. ¿Dónde _____?
   B. En Valladolid, en 1978.

3. A. ¿Dónde _____ actualmente?
   B. En Bilbao.

4. A. ¿_____?
   B. Sí, mi mujer se llama Eva.

5. A. ¿_____?
   B. Sí, una niña de tres años.

6. A. ¿_____?
   B. Soy administrativo. Trabajo en una agencia de viajes.

7. A. ¿_____ en esa agencia?
   B. _____ hace cuatro años.

8. A. ¿_____?
   B. Me gusta ir a la playa y jugar al tenis con mi mujer.

9. A. ¿_____ en el extranjero?
   B. Sí, hace dos años fui a Londres.

2. Sigue el modelo.

1. Leer el periódico / más tarde.
   ¿Has leído ya el periódico?
   No, lo leeré más tarde.

2. Hacer la comida / dentro de un rato.
   _____
   _____

3. Mandar el mensaje a Carmen / esta tarde.
   _____
   _____

4. Llamar por teléfono a tu madre / luego.
   _____
   _____

5. Fregar los platos / mañana.
   _____
   _____

6. Planchar las camisas / más tarde.
   _____
   _____

7. Poner la lavadora / el lunes.
   _____
   _____

3. Completa la biografía con los verbos del recuadro en la forma adecuada.

> publicar (x 2) – ingresar – estudiar
> trabajar – obtener – regresar – escribir
> nacer – trasladarse – vivir

Alfredo Bryce Echenique, escritor peruano

Nació (1) en Lima, en 1939. _____(2) en colegios norteamericanos e ingleses. En 1957 _____(3) en la Universidad Nacional de San Marcos para estudiar Derecho y Letras. En 1964 _____(4) a Europa. _____(5) en Francia, Italia, Grecia y España, donde _____(6) como profesor en varias universidades.

_____(7) su primer libro de cuentos en 1968 (*Huerto cerrado*), que _____(8) un premio en el concurso Casa de las Américas.

En 1970 _____(9) *Un mundo para Julius*, que muchos consideran su mejor novela. Desde esa fecha _____(10) numerosos cuentos, crónicas periodísticas y unas "antimemorias": *Permiso para vivir* (1993).

Recientemente _____(11) a su país con intención de establecerse en Lima.

4. Escribe el verbo en la forma más adecuada (pretérito perfecto o pretérito indefinido)

1. El año pasado *hice* varios viajes a Roma.

2. ¿Sabes? ¡Juan _____ por fin! (casarse)

3. Beethoven _____ la *Novena Sinfonía*. (componer)

4. Eduardo _____ en la empresa de su padre desde 1970 hasta 1989. (trabajar)

5. La Guerra Civil española _____ en 1939. (terminar)

6. El marido de Feli _____ en la cárcel dos veces. (estar)

7. Nosotras nunca _____ en una obra de teatro. (trabajar)

8. A Dimitri le _____ la lotería de Navidad hace dos años. (tocar)

5. Completa las frases con el pronombre adecuado.

1. A. ¿A ti no *te* molestan los ruidos de la calle para dormir?

   B. No, a mí _____ molesta más la luz.

2. Estoy harta de estos niños, _____ llevan tan mal que no pueden jugar en paz ni un momento.

3. Mi marido no soporta a Enrique, _____ cae fatal.

4. El otro día María _____ cayó en la calle y _____ rompió un brazo.

5. A. ¿Qué _____ pasó el domingo, por qué no viniste al campo?

   B. Es que no _____ encontraba bien, _____ dolía la cabeza.

6. A Elena no _____ interesa nada, yo creo que está un poco deprimida.

7. Jorge es un chico estupendo, a todos nosotros _____ cae bien.

8. A. ¿Qué tal _____ quedan estos pantalones cortos?
   B. Pues… a mí _____ parece que no _____ quedan muy bien, la verdad. Los otros _____ sientan mejor.

9. Mi jefe es una buena persona, _____ preocupa por todos sus empleados.

10. Vicente dice que a él no _____ preocupa el futuro porque tiene bastante dinero para vivir sin trabajar.

6. Subraya la preposición adecuada.

me llamo Rosa, soy ama en /
de casa y vivo con / a mi marido y
mi hija por / en Granada. Cristina se
despierta a / en las ocho, yo le doy
el biberón y juego con / a ella un
rato. A las diez damos un paseo por
/ en el parque y a / de la vuelta
paso por / en el supermercado para
/ por hacer la compra. Desde / De
la una hasta / a las cuatro Cristina
duerme la siesta y yo aprovecho para
/ por comer, lavar, planchar y
descansar. Por / Para la tarde
vamos otra vez en / al parque si hace
buen tiempo y volvemos a / en casa a
las siete, cuando mi marido llega de /
a su trabajo.

1
E

7. Escribe un párrafo sobre tus actividades cotidianas.

Me llamo _____ soy _____ .
Todos los días voy a _____ . Los fines de
semana _____

_____

☺ 😐 ☹ *Soy capaz de…*

☐ ☐ ☐ *Hablar de mis actividades cotidianas.*

☐ ☐ ☐ *Contar una biografía.*

☐ ☐ ☐ *Utilizar los verbos reflexivos y pronominales para hablar de sentimientos y relaciones personales.*

☐ ☐ ☐ *Distinguir las preguntas de las afirmaciones.*

☐ ☐ ☐ *Diferenciar los párrafos de un escrito.*

2
A

1. Mira las fotos. ¿Qué forma de transporte te gusta más?

A. A mí me gusta mucho el tren, puedes conocer a gente nueva, andar un poco…

B. Pues yo prefiero…

2. Ordena los diálogos.

1. (EN LA ESTACIÓN DE CERCANÍAS DE ATOCHA)
–Gracias, adiós. ☐
–¿Cuánto vale el de ida y vuelta? ☐
–Hola, quería un billete para Alcalá de Henares para el tren de las 9.30. **1**
–Pues… deme uno de ida y vuelta ☐
–¿Ida sólo o ida y vuelta? ☐
–El billete de ida cuesta 2 € y el de ida y vuelta 3,60 €. ☐
–Aquí tiene su billete, son 3,60 €. ☐

2. (EN EL AEROPUERTO DE BARAJAS)
–Buenos días, ¿me da el billete y el pasaporte? **1**
–Pasillo, por favor. ☐
–Sí, las dos marrones. ☐
–Aquí tiene. ☐
–¿Ventana o pasillo? ☐
–¿A qué hora ha dicho que tengo que embarcar? ☐
–¿Estas son sus maletas? ☐
–Muy bien. Mire, esta es su tarjeta de embarque. Tiene que estar en la sala de embarque media hora antes de la salida, a las 6.35. Todavía no se sabe en qué sala. Mírelo en los paneles de información. ☐
–A las 6.35. ☐
–Ah, vale, gracias. ☐

3. Escucha y comprueba. **4** 🔊

HABLAR

4. Practica las conversaciones anteriores con tu compañero. Imagina trayectos de tren o autobús en tu propia ciudad / país.

ESCUCHAR

5. Vas a escuchar la historia de un chico que volvía a casa después de pasar el día en la playa. Antes, mira los dibujos, ¿qué crees que le pasó a Dimitri? **5**

6. Escucha de nuevo y responde a las preguntas. **5**

1. ¿Qué hacía Dimitri en Salou?
2. ¿Por qué subió Dimitri a ese tren?
3. ¿Qué error cometió Dimitri?
4. ¿Cómo se enteró de su error?
5. ¿Dónde pasó la noche Dimitri?

ESCRIBIR

7. En grupos de 3. Escribid la historia de Dimitri. Si es necesario, escuchad la historia otra vez.

GRAMÁTICA

PRETÉRITO PLUSCUAMPERFECTO

*Cuando llegué a la estación el tren ya **había salido**.*
*Me dijo que **había encontrado** un trabajo estupendo.*

Se utiliza el pretérito pluscuamperfecto para hablar de una acción pasada, anterior a otra pasada.

8. Subraya el verbo más adecuado.

1. Cuando Lucía *llamó / había llamado* por teléfono Silvia ya *salió / había salido*.
2. Mi hija *vino / había venido* cuando ya nos *habíamos acostado / acostamos*.
3. Ayer Rosa *contó / había contado* que *había estado / estuvo* de vacaciones en Málaga.
4. Cuando vi a Luis me *alegré / había alegrado* mucho.
5. Miguel no fue ayer a trabajar porque *estaba / había estado* enfermo.
6. Luisa vendió el anillo que le *había regalado / regaló* su novio.

9. Combina las dos frases para hacer una frase nueva con el verbo en pretérito pluscuamperfecto.

1. El jefe salir / Yo llegar a la oficina.
   Cuando yo llegué a la oficina el jefe ya había salido.

2. Trabajar en un supermercado / Entrar a trabajar aquí (Carlos).
3. Empezar la película / Entrar en el cine (nosotros).
4. Mi marido preparar la cena / Llegar a casa (yo).
5. Su madre morir / Casarse (ella).
6. Estar trabajando en China / Empezar a estudiar chino (Ramón).
7. Tener dos accidentes (él) / Quitarle el carné de conducir (ellos).

10. Completa la conversación con los verbos del recuadro en pretérito pluscuamperfecto.

vender – encontrar – ir – terminar – morir

A. ¿Sabes a quién vi ayer?
B. No, ¿a quién?
A. A Lucía, la mujer de José Luis.
B. ¿Y qué te contó?
A. Pues me dijo que su padre *había muerto* (1), que su madre _____ (2) el piso y se _____ (3) a vivir a una residencia.
B. ¡Vaya!
A. Sí, estaba un poco triste. Bueno, también me contó que su hijo mayor _____ (4) un buen trabajo y que la chica _____ (5) la universidad con buenas notas.

2 A

B. ¿cómo vas al trabajo?

1. ¿Cómo vienes a clase? Explícalo a tus compañeros.

Yo vengo en el autobús 15, me bajo en la avenida de Ríos Rosas y desde allí vengo andando.

2. Tres personas explican cómo van al trabajo cada día. Completa con las palabras del recuadro.

> estación – atasco – regresar – llegar
> rápido – Durante (x 2) – tren (x 2) – ir
> hasta (x 2) – va – coche – tardo (x 2)
> transbordo

Normalmente voy al trabajo en coche. Es que vivo a quince kilómetros de Madrid y no hay ninguna estación (1) de tren cerca de mi casa. Si no hay problemas tardo media hora en _____(2), pero si hay _____(3) tardo una hora o, a veces, más. No me gusta mucho conducir, pero así puedo _____(4) a casa media hora antes y recoger a mi hija del colegio.

Yo vivo en el sur de Madrid y tengo que _____(5) a la Universidad Autónoma, que está al norte. Primero voy en metro _____(6) la plaza de Castilla. Tengo que hacer un _____(7) en Gran Vía. En la plaza de Castilla tomo el autobús que _____(8) a la Universidad. La verdad es que está un poco lejos, _____(9) más de una hora en llegar. _____(10) el viaje puedo leer y estudiar algo, si no hay muchos pasajeros.

Yo vivo en Madrid y trabajo en Alcalá de Henares. No tengo _____(11), así que voy a trabajar en metro y en tren. Primero voy en metro _____(12) Atocha, es lo más rápido, y luego tomo el _____(13) de cercanías hasta Alcalá de Henares. _____(14) una hora en llegar, más o menos. _____(15) el viaje tengo tiempo de leer el periódico o una novela, o también puedo dormir, si tengo sueño. El _____(16) es cómodo, _____(17) y barato.

3. Escucha y comprueba. **6**

4. Escribe un párrafo sobre ti mismo utilizando expresiones de los textos anteriores. Léeselo a tus compañeros.

VOCABULARIO

5. Haz una lista de palabras y expresiones referentes a los medios de transporte que has aprendido hasta ahora.

> ⇒ Estación de tren /metro
>
> ⇒ Parada de autobús

LEER

6. Antes de leer el texto sobre el transporte en Madrid, piensa si las afirmaciones siguientes son V o F.

1. En Madrid no hay metro. ☐
2. Los autobuses de Madrid son baratos. ☐
3. Hay autobuses nocturnos. ☐
4. Los trenes de cercanías funcionan toda la noche. ☐

7. Lee el texto y comprueba.

MOVERSE POR MADRID

Madrid dispone de una extensa y moderna red de transportes públicos que llega a casi todas partes. Tenemos autobuses, metro, taxis, trenes de cercanías.

Los autobuses de la Empresa Municipal de Transportes (EMT) recorren toda la ciudad. La mayoría de las líneas circulan todos los días entre las 6.00 y las 23.00 horas, cada diez o quince minutos. Existe una línea que comunica el aeropuerto de Barajas y el centro de la ciudad.

También hay autobuses nocturnos (llamados *búhos*) que salen de la plaza de Cibeles.

Los autobuses se toman en las paradas establecidas. En el mismo autobús se puede comprar el billete para un viaje, pero es más económico comprar un Metrobús (billete de 10 viajes en metro o en autobús). Éste se compra en las estaciones de metro y en los quioscos; no se puede comprar en el mismo autobús.

Los trenes de cercanías son otra manera de recorrer la Comunidad de Madrid. Salen o pasan por la estación de Atocha. Son baratos y rápidos, además de útiles para hacer excursiones fuera de Madrid, a la sierra de Guadarrama y a ciudades cercanas, como Aranjuez, Alcalá de Henares o El Escorial.

Los "cercanías" empiezan a circular todos los días entre las 5.00 y las 6.00 horas y terminan a las 24.00. Los precios varían según la distancia.

8. Responde a las preguntas.

1. ¿Qué tipos de transporte público encontramos en Madrid?
2. ¿Con qué frecuencia pasan los autobuses?
3. ¿Puedes comprar un Metrobús dentro del autobús?
4. ¿Cuándo puedes tomar el primer tren?

PRONUNCIACIÓN Y ORTOGRAFÍA

ENTONACIÓN EXCLAMATIVA

1. Escucha y repite. **7**

¡Estupendo!	¡Qué bonito!
¡No me digas!	¡Eres genial!
¡Enhorabuena!	¡Estoy harta!
¡Cuánto tiempo sin verte!	¡Espérame!
¡Ven aquí!	

2. Escucha y escribe los signos necesarios (¿? / ¡!) **8**

1. ¿Está libre?	6. He aprobado
2. Qué pena	7. No es barato
3. Vas a la compra	8. Estás tonto
4. Qué barato	9. Te gusta
5. Puedo salir	10. Es carísimo

2B

c. Intercambio de casa

1. ¿Te gustaría pasar las vacaciones en un país extranjero sin tener que pagar hotel ni alquiler? Ahora es posible si intercambias tu casa con otras personas.

2. Maribel y Andrés están buscando en Internet una casa en México para intercambiar durante las vacaciones. Lee los siguientes textos.

A

Ubicación: Cuernavaca
Pueden dormir: 6 personas. **Dormitorios:** 3 / **Baños:** 2
No niños, por favor.

Pequeña casa muy atractiva en urbanización situada a tres horas en coche de Acapulco, a una hora de la Ciudad de México y a una hora de Taxco. La casa tiene *jacuzzi*, aire acondicionado, garaje, piscina y un jardín bastante grande. En los alrededores se pueden encontrar interesantes atracciones turísticas y culturales. Hay un centro comercial próximo.

PROPIETARIOS:
Profesión: empleado de banca y profesora de Educación Física. **Grupo familiar:** 2 adultos. **Destinos deseados:** Italia, España y Estados Unidos.

B

Ubicación: Acapulco
Pueden dormir: 4 personas. **Dormitorios:** 2 / **Baños:** 1
Solamente no fumadores.

Apartamento en la playa. Situada en urbanización con campo de golf junto al mar. La urbanización tiene piscina privada. La casa tiene aire acondicionado, cocina moderna, barbacoa y pequeño jardín. En la zona hay interesantes atracciones turísticas y culturales. Es una zona muy atractiva para los aficionados a la pesca y al golf. Ideal para la práctica de vela y *surf*.

PROPIETARIOS:
Profesión: abogados. **Grupo familiar:** 2 adultos. **Destinos deseados:** abiertos a distintas posibilidades.

---

3. ¿Cuál de las dos casas les interesa a Maribel y Andrés teniendo en cuenta las siguientes circunstancias?

1. Viajan con sus dos hijos. **B**
2. Desean hacer turismo por México. ☐
3. Andrés es aficionado a la pesca. ☐
4. Desean tener una piscina para los niños. ☐
5. No fuma ninguno de los dos. ☐

6. Quieren tener la playa cerca. ☐
7. Les gustaría tener jardín. ☐
8. Les divierte la idea de cocinar al aire libre. ☐
9. Los niños quieren hacer un curso de vela. ☐

4. Imagina que quieres hacer un intercambio. Escribe tu ficha con la descripción de tu casa y tus datos personales para ponerla en la página de Internet. Utiliza, entre otras, las siguientes palabras.

> aire acondicionado – calefacción – chimenea
> equipo de música – ordenador – televisión
> vídeo – DVD – lavaplatos – lavadora – secadora

5. Maribel y Andrés han elegido la casa de Acapulco. Completa el e-mail que envía Maribel proponiendo el intercambio.

> quincena – urbanización – anuncio
> alrededores – intercambio – visitar – hijos
> gastronomía – fotografías – profesores

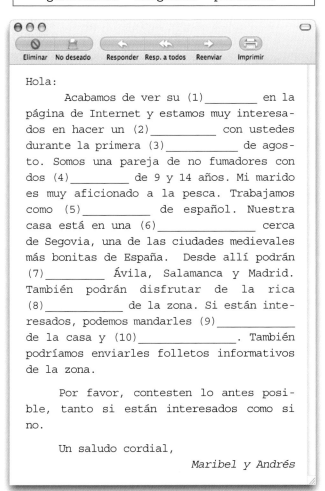

Hola:

Acabamos de ver su (1)_____ en la página de Internet y estamos muy interesados en hacer un (2)_____ con ustedes durante la primera (3)_____ de agosto. Somos una pareja de no fumadores con dos (4)_____ de 9 y 14 años. Mi marido es muy aficionado a la pesca. Trabajamos como (5)_____ de español. Nuestra casa está en una (6)_____ cerca de Segovia, una de las ciudades medievales más bonitas de España. Desde allí podrán (7)_____ Ávila, Salamanca y Madrid. También podrán disfrutar de la rica (8)_____ de la zona. Si están interesados, podemos mandarles (9)_____ de la casa y (10)_____. También podríamos enviarles folletos informativos de la zona.

Por favor, contesten lo antes posible, tanto si están interesados como si no.

Un saludo cordial,

Maribel y Andrés

6. Escribe ahora un e-mail haciendo tu propuesta de intercambio.

GRAMÁTICA

PREPOSICIONES

A / al (a + el)
● Se utiliza para indicar lugar, distancia, temperatura, precio, especialmente con el verbo *estar*.

La piscina está al fondo del jardín.
El aeropuerto está a cinco km.
Hoy estamos a 29 ºC
Los tomates hoy están a 3 € el kilo.

De
● Se utiliza en muchas expresiones con el verbo *ir*.

Ir de viaje, ir de excursión, ir de visita, ir de vacaciones...

Desde
● Para indicar origen en el espacio o en el tiempo.

Desde Segovia tienen que coger la carretera nacional.

En
● Para indicar lugar, situación.

Dejen las llaves en el buzón.

● Medio de transporte.

Iremos en coche.

Hasta
● Para indicar punto final en el tiempo y en el espacio.

Tienen que llegar hasta la iglesia.

2
C

ESCUCHAR

7. Maribel habla por teléfono con Juan Zúñiga, el hombre mexicano que va a venir a Segovia. Escucha y completa. **9**

1. Villacastín está a unos _____
_____.

2. Deben tomar la Nacional VI _____
_____.

3. _____ tienen que desviarse por la carretera que va a Segovia.

4. A cinco km del pueblo encontrarán la entrada _____.

5. Justo _____ está nuestra casa.

6. Las llaves están _____.

D. Escribe

UNA CARTA PERSONAL

Las cartas personales pueden tener estructuras muy variadas, pero en muchos casos siguen este esquema.

a. Fecha.
b. Saludo.
c. Motivo principal de la carta.
d. Información general sobre uno mismo.
e. Interés por el otro. Se hacen preguntas sobre su trabajo, salud, familia.
f. Despedida.
g. Postdata.

1. Lee la carta y señala dónde empieza y acaba cada una de las secciones anteriores.

2. Lee otra vez y responde.

¿Qué relación hay entre Cati y Carmen?
¿Cuál es el motivo de la carta?

3. A continuación tienes un correo desordenado. Ordénalo.

2
D

Salamanca, 16 de octubre de 2006

Querida Cati:

¿Qué tal te va? Espero que estés bien. Perdona que no te haya escrito antes, pero es que he estado liadísima. Después de volver de México empecé a trabajar enseguida.

Cati, te escribo para mandarte las fotos que nos hicimos en Yucatán. Como ves, han salido estupendamente. ¡Qué bien nos lo pasamos en el viaje! ¿verdad?

En cambio, aquí, en Salamanca, la vida no es muy divertida. Después del trabajo del hospital voy al gimnasio dos días a la semana y, luego, los fines de semana salgo con los amigos a ver alguna película o a comer fuera, pero, vaya, nada especial. ¿Y tú, sigues con tu proyecto de arquitectura? Y tu amigo Antonio, ¿qué tal está? Dale recuerdos de mi parte.

Bueno, espero que me escribas pronto y me cuentes cómo te va.

Si tienes oportunidad de venir a Salamanca, ya sabes que aquí tienes tu casa.

Un abrazo,

Carmen

P.D.: En mi trabajo me han hablado de un posible viaje a Barcelona. Si me lo confirman, espero verte. Te llamaré.

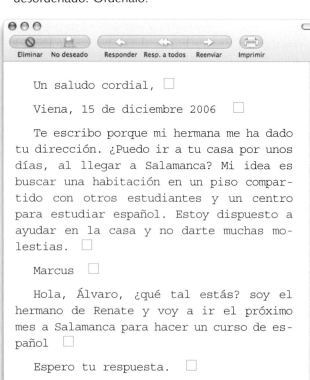

Un saludo cordial, ☐

Viena, 15 de diciembre 2006 ☐

Te escribo porque mi hermana me ha dado tu dirección. ¿Puedo ir a tu casa por unos días, al llegar a Salamanca? Mi idea es buscar una habitación en un piso compartido con otros estudiantes y un centro para estudiar español. Estoy dispuesto a ayudar en la casa y no darte muchas molestias. ☐

Marcus ☐

Hola, Álvaro, ¿qué tal estás? soy el hermano de Renate y voy a ir el próximo mes a Salamanca para hacer un curso de español ☐

Espero tu respuesta. ☐

4. Imagina que el verano pasado conociste a un español en la playa. Escríbele una carta para invitarle a venir a tu casa. Explícale qué actividades podéis realizar si acepta la invitación.

VIAJE A COLOMBIA

1. ¿Sabes algo de la ciudad colombiana de Cartagena de Indias? Coméntalo con tus compañeros.

2. Lee el texto.

CARTAGENA DE INDIAS

La ciudad de Cartagena de Indias está situada en el noroeste de Colombia, es la capital del departamento de Bolívar. Está a orillas del mar Caribe, y su clima es tropical. Tiene unos 860.000 habitantes.

En 1984 fue considerada patrimonio cultural mundial por la UNESCO.

Historia

La ciudad fue fundada por el español don Pedro de Heredia en 1533, y fue colonia española hasta el 11 de noviembre de 1811, fecha de la firma del Acta de Independencia Absoluta de España.

¿Qué hacer en Cartagena?

Hay muchos sitios donde ir en Cartagena de Indias. Puedes encontrar historia, recreación, descanso, placer y muchas cosas más.

Islas y playas. Está situada en una amplia bahía, rodeada de islas y lagunas.

Vida nocturna. Los lugares preferidos para divertirse por la noche son el centro amurallado, la calle del Arsenal y Bocagrande.

Sitios de interés. La ciudad de Cartagena está llena de monumentos (iglesias, conventos, museos, palacios) que hay que visitar. Fuera de la ciudad se pueden hacer excursiones a las islas del Rosario o al acuario San Martín.

Gastronomía

En la gastronomía de Cartagena se mezclan ingredientes indígenas y españoles. Los platos más conocidos son:

Ajiaco: sopa hecha con pollo y papas.

Tamales: envueltos de arroz, pollo y verduras.

Patacón: plátano verde frito mezclado con carne o queso.

Arepa: masa hecha de maíz rellena de diversos ingredientes.

Empanadas: envueltos de arroz, carne y verduras.

2D

3. En parejas. Prepara diez preguntas sobre Cartagena de Indias para tu compañero. Luego, con el libro cerrado, hazle las preguntas y responde a las suyas.

¿Dónde está situada Cartagena de Indias?

E. Autoevaluación

1. Completa con la palabra adecuada.

> crucero – billetes – parada – estación – tardo
> cercanías – puerto – vía – tarjeta de embarque

1. Maribel y Andrés han hecho un *crucero* por el Mediterráneo y están encantados.
2. Nuestro tren sale de la _____ 5 dentro de quince minutos.
3. Cuando llegó el autobús, en la _____ había más de cuarenta personas.
4. Cerca de mi casa no hay ninguna _____ de tren de _____.
5. Desde mi casa al trabajo _____ más de una hora en llegar.
6. Ángel, ¿dónde has puesto los _____ de avión y los pasaportes?
7. Isabel, mira la _____ __ _____ para saber de qué puerta sale nuestro avión.
8. Para tomar el barco tenemos que estar en el _____ dos horas antes.

2. Relaciona.

1. Por favor, ¿cómo puedo ir al aeropuerto? ☐
2. ¿Cuánto se tarda de aquí al Museo del Prado? ☐
3. ¿Cuánto cuesta el billete de metro? ☐
4. ¿A qué hora sale el próximo tren para Aranjuez? ☐
5. ¿Aquí para el autobús que va a la Plaza Mayor? ☐

a. Un billete para un viaje cuesta 1 €, pero un billete para 10 viajes sólo cuesta 5,80 €.
b. No, tiene que ir a la parada que está más allá y tomar el autobús número 12.
c. A las diez quince.
d. Si vas en metro, unos diez minutos, pero si vas andando, unos veinticinco minutos.
e. Puede ir en metro, tomando la línea 8 que va hasta Barajas o en los autobuses que salen de la plaza de Colón.

3. Completa con los verbos del recuadro en pretérito pluscuamperfecto.

> ver – salir – escapar – terminar – dejar
> irse – regalar – invitar – estar

1. Yo no fui al cine con Ángela porque ya *había visto* la película.
2. Se puso el vestido que le _____ para su cumpleaños.
3. Nos contó que _____ el trabajo y se _____ a vivir a un pueblo.
4. Cuando conocí a Paola ya _____ sus estudios en la universidad.
5. Antes de este verano Elena no _____ nunca en la playa.
6. Eduardo y Rosa dijeron que el domingo no _____ de casa, pero nosotros fuimos a verlos y no los encontramos.
7. No vino a la boda porque los novios no la _____.
8. Cuando la policía llegó al banco, los ladrones _____ con el botín.

4. En este texto hay 10 errores. Búscalos y corrígelos.

> Jorge vive en un barrio de Madrid, cerca a una estación de metro. Antes iba a trabajar todos las días con metro. Pero ahora su empresa se ha trasladado a un polígono industrial fuera de la ciudad y es desesperado. Todos los días tarda una hora y media a llegar al trabajo. Así que tiene que levantarse a las 6 por la mañana. Sale de su casa a las seis y media para llegar a la oficina a las ocho. Coge el metro hasta plaza de Castilla y luego tiene que tomar un autobús en su empresa. Si un día hay alguna problema en la carretera, se forma un atasco y entonces llego tarde. Su jefe ya le ha dicho que, si llega tarde más veces, tendrá de buscarse otro trabajo.

2
E

5. Lee y completa el texto con las palabras del recuadro. Sobran tres.

> centro – a – vuelos – tarda – está – día –
> que – red – para – es – estaciones

SEVILLA**TRANSPORTES**

Avión

El aeropuerto de Sevilla ____(1) a siete kilómetros del _____(2) de la ciudad. Desde allí hay vuelos diarios a algunas ciudades españolas y _____(3) directos a varias ciudades europeas: Londres, París, Bruselas, Ámsterdam, etc.

Tren

En la moderna estación de Santa Justa se puede tomar el AVE (primer tren español de alta velocidad) que _____(4) dos horas y media en llegar a Madrid. Hace el trayecto Madrid-Sevilla quince veces al _____(5). También se puede viajar en tren a la costa del Sol.

Autobuses

Sevilla cuenta con una completa _____(6) de autobuses interurbanos _____(7) llegan a casi todos los rincones de la ciudad. También hay dos _____(8) de autobuses _____(9) viajar a otras poblaciones andaluzas y del resto de España.

6. Completa las frases con la preposición correspondiente.

> para – a (al) – de (del) – desde
> en – hasta – por

1. Puede comprar su billete *en* la taquilla.
2. El metrobús sirve _____ hacer diez viajes.
3. ¿Puede darme un billete _____ un viaje?
4. Manu va _____ instituto _____ bicicleta.
5. Mi hermano es muy aficionado _____ fútbol.
6. La casa está _____ la entrada del pueblo.
7. El aeropuerto _____ Barajas está _____ 5 km _____ Madrid.
8. Cada día tardo media hora _____ ir _____ mi casa _____ trabajo.
9. Paola vive _____ una urbanización que está _____ 2 km _____ la playa.
10. _____ llegar _____ mi casa tienes que tomar el autobús que pasa _____ la plaza Mayor.
11. ¡Qué frío hace! Estamos _____ 2 °C.
12. A. Perdone, ¿cómo puedo ir _____ la plaza del Rey?
    B. _____ aquí puede ir _____ autobús. Mire, allí está la parada _____ autobús número 31. Bájese _____ la cuarta parada.
    A. Gracias.
13. _____ mi casa _____ la estación del tren hay sólo un kilómetro
14. A. ¿Este autobús va _____ centro de la ciudad?
    B. Si, claro. Tiene que bajarse _____ la última parada.

😊😐☹️ *Soy capaz de…*

☐☐☐ *Comprar billetes de tren, metro, autobús.*

☐☐☐ *Hablar de un hecho pasado anterior a otro también pasado.*

☐☐☐ *Explicar cómo me muevo en la ciudad.*

☐☐☐ *Describir mi casa.*

☐☐☐ *Escribir una carta personal.*

2
E

3

1. En parejas. Mira las fotos y describe a estas personas. Utiliza el vocabulario de los recuadros.

Carácter
egoísta – generoso – terco – aburrido – formal
tímido – tolerante – comprensivo – sincero
presumido – cariñoso

Físico
guapo – bigote – bajo – barba – perilla – liso
elegante – moreno – rizado – delgado

2. Escucha y escribe el nombre correspondiente. **10**

3. Escucha otra vez y completa el recuadro. **10**

	CARÁCTER	FÍSICO	GUSTOS
1. Jaime			
2. Paloma			
3. Paco			
4. Rosa			

HABLAR

4. Responde a las preguntas de forma esquemática.

- ¿Quién es tu mejor amigo/a? • ¿Cómo es físicamente? • ¿Y de carácter? • ¿Qué cosas le gustan? • ¿Cuánto tiempo hace que lo/la conoces? • ¿Cómo os conocisteis? • ¿Por qué crees que os lleváis bien? • ¿Te enfadas con él/ella alguna vez?

5. En parejas, habla con tu compañero de tu mejor amigo/a.

ESCRIBIR

6. Escribe un párrafo sobre tu amigo/a.

Mi mejor amiga es Rosalía. Es amable y cariñosa, pero cuando se enfada…

GRAMÁTICA

ORACIONES DE RELATIVO

- Si el hablante conoce la existencia del antecedente, se usa el indicativo.

  *He encontrado a un hombre **que no tiene** trabajo. Busco un hombre **que trabaja** en esta oficina (yo sé que existe, lo conozco)*

- Las oraciones de relativo llevan el verbo en subjuntivo cuando el hablante desconoce la existencia del antecedente.

  *Busco un hombre **que tenga** trabajo.*

- También se utiliza el subjuntivo cuando se dice del antecedente que no existe o que es escaso.

  *Hay pocas personas **que canten** mejor que tú.*

A. *Dígame, ¿qué es exactamente lo que está buscando?*

B. *Pues, yo busco un hombre que sea inteligente, comprensivo y amable, que tenga estudios universitarios, que tenga piso, coche y, a ser posible, un apartamento en la playa. Ah, y que le gusten los niños… es que yo tengo tres.*

A. *Bueno, bien, voy a mirar en nuestros ficheros a ver si tenemos suerte, pero no puedo garantizarle nada.*

B. *Carmen, ¡lo he encontrado! He encontrado un chico que es un encanto, amable, educado, es ingeniero, tiene un apartamento en la playa, le gustan los niños.*

C. *¡Qué bien! Me alegro por ti. ¿Dónde trabaja?*

B. *Ese es el problema: está parado.*

7. Subraya el verbo más adecuado. A veces hay dos opciones.

1. Me gusta la gente que <u>sabe</u> / sepa escuchar.
2. Quiero un libro que *habla* / *hable* de psicología.
3. Necesitan una secretaria que *habla* / *hable* inglés
4. Hemos alquilado un piso que *está/esté* muy cerca de la playa.
5. David, por favor, tráeme el libro que *está* / *esté* encima de la mesa de la cocina.
6. ¿Conoces a alguien que *sabe* / *sepa* cuidar el jardín?
7. Por aquí no hay ningún restaurante donde *ponen* / *pongan* paella.

8. ¿Hay alguien en este barrio que *dé* / *da* clases de flamenco?
9. Yo no conozco a nadie que *tiene* / *tenga* un *Mercedes*.
10. Manu tiene un perro que *ladra* / *ladre* de día y de noche, es horrible.
11. ¿Conoces a alguien que *puede* / *pueda* pasarme a ordenador unos apuntes?

8. Completa con el verbo en subjuntivo.

1. Mi jefe está buscando un secretario que *quiera* quedarse a trabajar por las tardes hasta las ocho. (querer)
2. Me han dicho que necesitan chicos que _____ carné de conducir. (tener)
3. Aquí no hay nadie que _____ el pelo como dijo Fernando. (tener)
4. ¿Conoces a alguien que _____ en la televisión? (trabajar)
5. Buenos días, póngame un pollo, que no _____ muy grande, por favor. (ser)
6. Ángel y Laura están buscando un piso que no _____ muy caro. (ser)

9. Relaciona y escribe el verbo en la forma correcta.

1. Me gusta la gente que *se ríe mucho.*
2. Me molesta la gente que _____
3. Busco personas que _____
4. En mi clase hay dos personas que _____
5. No hay nadie que _____
6. Conozco gente a la que _____

a. Hacer la paella como Celia. b. Tener muy buena pronunciación. c. Expresar sus sentimientos. d. Reírse mucho. e. Habla mucho. f. Gustar la música. g. Gustar mucho los deportes de riesgo. h. Tener los mismos gustos que yo. i. (No) escuchar a los demás.

HABLAR

10. Imagina que estás buscando amigos para salir. Haz una lista de las cualidades que pides. Luego compara con tus compañeros y comprueba cuántos comparten tus gustos.

Busco personas a las que les guste _____ , que sepan _____.

VOCABULARIO

1. Completa.

1. La madre de mi padre:	*Mi abuela*
2. El hermano de mi padre:	_____
3. El hijo de mi tío:	_____
4. La hija de mi hermano:	_____
5. La mujer de mi hermano:	_____
6. La madre de mi mujer:	_____
7. El marido de mi hija:	_____
8. El marido de mi hermana:	_____
9. El hijo de mi hija:	_____
10. El segundo marido de mi madre:	_____

2. ¿Qué posición tienes entre tus hermanos, eres el primero, el último? ¿Eres hijo único? ¿Crees que hay diferencias entre tú y tus hermanos debidas a esa posición? Lee el texto para informarte.

Los primogénitos son más autoritarios y los últimos, más creativos y tolerantes

3 B

Muchos psicólogos están de acuerdo en que el orden de nacimiento en la familia determina el carácter de una persona más que otros factores como la clase social o el sexo. Dice un estudio que los líderes políticos, dictadores o grandes hombres de empresa son, casi siempre, primogénitos. En cambio, los protagonistas de cambios radicales y revoluciones son los hermanos pequeños.

Esta es la idea básica que defiende Frank Sulloway, en su famoso libro *Nacido para rebelarse*. El profesor ha pasado más de 20 años estudiando las biografías de un gran número de personajes históricos y ha llegado a la conclusión de que la influencia de la familia en la formación de la personalidad es crucial, y especialmente el orden que se ocupa entre los hermanos. Esto es así debido a las estrategias que cada uno emplea para obtener el cariño paterno.

Los primogénitos suelen ser ambiciosos, autoritarios, líderes y buenos comunicadores. Los nacidos en último lugar, por el contrario, están más abiertos a nuevas ideas y suelen ser revolucionarios. También son más tolerantes y, a veces, vagos.

Los hijos únicos, como los primogénitos, suelen ser conservadores y autosuficientes, aunque también son responsables y creativos.

¿Y los medianos? Se dice que son competitivos, sociables, pero también inseguros y envidiosos por la competencia de los hermanos mayores y pequeños. ∎

3. Subraya los adjetivos de carácter del texto y completa la tabla.

PRIMOGÉNITO	MEDIANO	PEQUEÑO	ÚNICO
autoritario			

4. Relaciona cada adjetivo con su definición.

> autoritario – creativa – tolerante – ambiciosa
> conservador – vaga – responsable
> encantadora – competitiva – sociable – insegura
> envidiosa – cariñoso

1. Le gusta estar con otra gente: *sociable*
2. No está segura de sí misma: _____
3. Siempre dice a los otros lo que tienen que hacer: _____
4. Desea poder, riqueza o fama: _____
5. Tiene muchas ideas originales: _____
6. Sabe bien cuáles son sus obligaciones y las cumple: _____
7. Desea lo que tienen los demás: _____
8. Admite ideas muy diferentes: _____
9. Le gusta el orden establecido: _____
10. Persona muy agradable: _____
11. No le gusta trabajar: _____
12. Afectuoso: _____
13. Lucha por conseguir lo que tienen otros: _____

HABLAR

5. En grupos.

- Habla sobre los miembros de tu familia. ¿Quién es el mayor? ¿El más joven? ¿El más encantador? ¿El más autoritario? ¿El más rico?

- Comenta con tus compañeros el tema del texto.

Yo no estoy de acuerdo, porque yo soy la mayor de mis hermanos y no soy autoritaria…

PRONUNCIACIÓN Y ORTOGRAFÍA

ACENTUACIÓN

1. Subraya la sílaba tónica en las palabras siguientes.

> conserva<u>dor</u> – simpático – alegre – tímido
> formal – aburrido – rizado – jardín – amable
> televisión – enfadarse – olvidar – dormir

2. Escucha, comprueba y repite. **11**

3. Escribe la tilde en las frases siguientes. Mira la referencia gramatical, página 139 para recordar las reglas.

1. Laura se enfado con Jose porque el queria ver el futbol en la television y ella queria ver una pelicula.
2. Yo creo que Raul es un egoista.
3. Ayer no trabaje mucho porque me dolia el estomago.
4. Necesitan una persona que trabaje bien la madera.
5. Yo creo que deberias ir al medico.
6. El sabado me encontre en el autobus con Victor.
7. A el le molesto la broma de Fatima.
8. Dijo que vendria mas tarde.
9. Los profesores hablaron en arabe durante toda la conversacion.

4. Escucha, comprueba y repite. **12**

C. Tengo problemas

1. ¿Qué haces cuando tienes problemas? Comenta la respuesta con tus compañeros.

Llamo a un/a amigo/a

No le digo nada a nadie

Escribo a una revista

Se lo cuento a mi familia (padres, marido/mujer)

2. Lee las consultas y relaciónalas con sus respuestas.

Consultorio

1
No sé qué estudiar

Cuando era niño soñaba con ser arquitecto, me imaginaba mi ciudad con edificios nuevos, centros comerciales modernos… Me di cuenta de que era creativo y de que me gustaba eso de la construcción, así que decidí estudiar arquitectura. Pero ahora siento dudas, porque cuando veo a un médico me dan ganas de estudiar medicina, y otras veces pienso que la informática es mi carrera porque me interesan los ordenadores. Necesito un consejo. Gracias.

2
Soy infeliz

Hace dos meses me enfadé con un amigo porque me parecía que era muy egoísta. Dejé de llamarle por teléfono, pero hace unos días me llamó para salir juntos al cine y yo le dije que no podía ir y le di una excusa. El caso es que no sé qué hacer porque es una persona a la que quería mucho, pero al mismo tiempo no se preocupaba de mis problemas. No estoy segura de querer continuar esa relación. Por otro lado, me da pena cortar la amistad de tantos años. ¿Qué hago?

Respuestas

1

Las relaciones nunca son fáciles, ni siquiera con los amigos. En toda relación suele haber un intercambio de experiencias y emociones, pero si en ese intercambio uno da demasiado y no recibe suficiente, se siente infeliz. En ese caso, puedes optar por seguir la relación aceptando al otro. Ahora bien, si no puedes soportar la infelicidad, deberías cortar por lo sano y buscar otras relaciones.

2

Cuando tenemos que tomar decisiones tan importantes para nuestra vida, muchas veces nos sentimos inseguros por miedo a equivocarnos. Esto pasa también cuando tenemos interés por varias cosas a la vez. Ante esto, tenemos que pararnos a pensar cuál es la opción más acorde con nuestro carácter, cómo imaginamos nuestra vida profesional.
Si no puedes hacerlo tú solo, deberías consultar a un especialista que te ayude a escoger tu carrera profesional. Suerte.

3. Lee el texto otra vez y contesta las preguntas.

1. ¿Cómo se siente el autor de la carta 1?
2. ¿Por qué se enfadó la mujer de la carta 2 con su amigo? ¿Por qué no quiere cortar la relación?

VOCABULARIO

4. Completa las frases con uno de los verbos del recuadro. Fíjate en los pronombres.

> enfadarse – imaginarse – darse cuenta de
> optar – acordarse – olvidarse (x 2)
> equivocarse

1. Yo *me imagino* que María no ha venido porque está muy ocupada.
2. Ayer Eduardo _____ con nosotros porque no lo esperamos al salir del trabajo.
3. A. ¿Me has traído el libro que te dije?
   B. No, lo siento, _____ me _____.
4. A. Pablo, ¿_____ de comprar el pan?
   B. ¡Vaya!, otra vez _____.
5. A. Ana, ¿_____ cómo te mira aquel chico?
   B. No me mira a mí, te mira a ti.
6. En la vida muchas veces tienes que _____ por una cosa o por otra, y no es fácil decidirse.
7. A. ¿Diga?
   B. ¿Está Roberto?
   A. No, _____.
   B. Perdone.

COMUNICACIÓN

DAR SUGERENCIAS Y CONSEJOS

a. Deberías + infinitivo

Deberías ir a la peluquería, tienes el pelo muy largo.

b. Tener + que + infinitivo

*Lo que **tienes que hacer** es estudiar más si quieres aprobar el curso.*

c. Verbo en forma condicional

A. *He suspendido Historia y no estoy de acuerdo.*
B. *Yo en tu lugar **hablaría** con la profesora*

GRAMÁTICA

CONDICIONAL

Comprar	Comer	Vivir
compraría	comería	viviría
comprarías	comerías	vivirías
compraría	comería	viviría
compraríamos	comeríamos	viviríamos
compraríais	comeríais	viviríais
comprarían	comerían	vivirían

IRREGULARES

Hacer: haría, harías, haría, haríamos…
Poder: podría, podrías, podría, podríamos…
Poner: pondría, pondrías, pondría, pondríamos…
Salir: saldría, saldrías, saldría, saldríamos…

ESCUCHAR

5. Escucha y completa los consejos. **13**

Yo en tu lugar _____
_____

Lo que tienes que hacer
_____
_____
_____
_____ Yo en tu
lugar _____.

6. Escribe dos consejos para cada problema. Utiliza los verbos del recuadro para ayudarte.

> comprar – tomar – salir – escuchar – ir al médico
> leer el periódico

1. Estoy enfadada con mi hija porque no ha aprobado el curso.
   Yo en tu lugar hablaría con ella.
2. No sé qué regalarle a Julio por su cumpleaños.
3. No puedo dormir.
4. A mí me gustaría conocer gente.
5. Mañana me examino del carné de conducir y estoy nervioso.
6. No encuentro trabajo.

7. Escucha esta canción. En ella encontrarás cinco palabras intrusas, ¿cuáles son? Después, escucha de nuevo y comprueba. **14**

Si tú me dices ven

Si tú me dices ven, lo dejo todo
si tú me dices ven, será todo para ti
mis momentos más ocultos,
también te los daré,
mis secretos estupendos que son pocos,
serán tuyos también.

Si tú me dices ven, todo cambiará
si tú me dices ven, habrá felicidad,
si tú me dices ven, si tú me dices ven.

No detengas el momento por las mis indecisiones
para unir alma con alma, corazón con corazón,
reír contigo tú ante cualquier dolor,
llorar contigo, llorar contigo,
será mi salvación.

Pero si tú me dices ven, lo dejo todo,
que no se te haga tarde
y te encuentres en la tuya calle
perdida, sin rumbo y en el lodo
si tú me dices ven, lo dejo todo.

RELLENAR FORMULARIOS

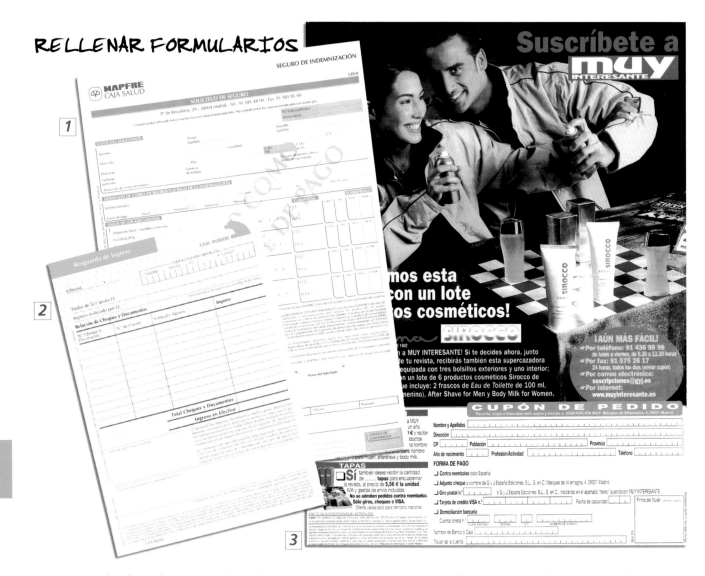

1. Examina los formularios y señala cuál sirve para:

a. suscribirte a una revista. ☐
b. contratar un seguro de salud. ☑ 3
c. ingresar un cheque en tu cuenta corriente. ☐

2. Con la información que sigue, rellena la hoja de suscripción a la revista de la actividad anterior.

> ELENA GARCÍA SANDOVAL tiene 37 años y vive en Getafe, en la calle Baleares, 15, segundo izquierda. Getafe es una ciudad de la provincia de Madrid. Su código postal es el 28015 y el teléfono, el 91 325 72 91. Elena es técnica de laboratorio. Tiene una tarjeta VISA con el número 0021 2456 3718 5344

3. En el formulario siguiente faltan algunos datos. Complétalos.

unicef 🕊️ | COMITÉ ESPAÑOL

SOLICITUD DE INGRESO COMO SOCIO COLABORADOR

NOMBRE **Antonio**
Fernández Herrero
Avda. **32 - 2º**
Zafra **Badajoz**
1962 **37282739**
abogado **606320718**

DOMICILIACIÓN BANCARIA
0021
Caja Sevilla

VIVIR CON LOS PADRES

1. Comenta con tus compañeros.

    a. ¿Con quién vives?   b. ¿A qué edad dejaste de vivir con tus padres?   c. ¿Cuál es la edad ideal para emanciparse?

2. Antes de leer el texto aclara qué significan las siguientes palabras.

> emanciparse – retraso – nido – disfrutar – paradoja – impedir – repercutir – escaso

Yo vivo con mis padres

¿Y por qué no voy a vivir con mis padres? Esta es la pregunta que se hacen un millón y medio de españoles, solteros entre 30 y 39 años, la mayoría independientes económicamente.

Según Enrique Gil Calvo, profesor de Sociología, los solteros ya no ven el matrimonio como algo atractivo ni obligatorio. Lo ven como algo confuso y por eso extienden la juventud hasta después de los 30.

También está el paro, la prolongación de los estudios y, por supuesto, el problema de la vivienda. En casi toda España los alquileres son escasos y además carísimos.

Pero también hay razones sociológicas, no solo económicas. La sociedad española es muy "familiarista", poco individualista y es aceptado que la familia está obligada a mantener a los hijos hasta que puedan vivir por sí mismos.

Como consecuencia, esta misma sociedad familiarista impide la formación de nuevas familias por el hecho de mantener las anteriores, es decir, esta generación que se queda en casa de los padres, que no se casa y no tiene hijos, hace de España el país con la natalidad más baja del mundo: 1,07 hijos por cada mujer, lejos del 2,1 que los demógrafos consideran necesario para el relevo generacional.

Por su parte, los economistas no ven esta situación como negativa, ya que el 50% de los jóvenes de entre 16 y 35 años que viven con sus padres trabajan, y esto repercute en la economía familiar, de tal forma que todos viven mejor.

Efectivamente, son el grupo de población que vive mejor, y disfruta del mayor gasto medio per cápita y de un confort superior al que tendrían si vivieran fuera de casa.

De todas maneras, los sociólogos están de acuerdo en que a cierta edad los jóvenes deberían tener la responsabilidad de vivir por sí mismos, mientras que los padres deberían echarles del nido cuando llega el momento. "Los hijos que se emancipan tarde pierden iniciativa y toman pocos riesgos en la vida, es un modo de vida poco recomendable", dice Gil Calvo. ■

(Adaptado de El País Semanal)

3. Lee el artículo y señala V o F. Subraya en el texto dónde aparece la información verdadera.

1. Muchos españoles de 30 a 39 años solteros viven con sus padres. ☐
2. En España no hay problema de paro. ☐
3. En España hay pocos pisos en alquiler. ☐
4. Los padres creen que deben ayudar y mantener a sus hijos hasta muy tarde. ☐
5. Los índices de natalidad española son altos. ☐
6. Los economistas creen que esta situación no es buena para la economía familiar. ☐
7. Los sociólogos creen que los padres deberían animar a sus hijos a salir de casa. ☐

4. Comenta el artículo con tus compañeros. ¿Es igual en tu país? ¿Cuáles son las diferencias?

E. Autoevaluación

1. Completa la descripción de Jorge y Alicia con las palabras del recuadro.

> tiene (x 2) – persona – pintar – está – y – el
> mucho – es (x 3) – muy (x 2) – más – gusta

Mi amigo Jorge es muy alegre y cariñoso. Le gusta hacer bromas. No es _____ alto, _____ el pelo rizado y gris y también _____ bigote. Le gusta _____ cantar, tocar la guitarra y charlar con sus amigos. En su trabajo _____ serio y formal.

Lo que _____ me gusta de Alicia es que es una _____ sincera. No _____ muy sociable, le _____ estar sola, pero cuando _____ con los amigos es amable.
Es alta _____ delgada, tiene _____ pelo castaño, largo y liso, es _____ guapa.
A Alicia le gusta leer, nadar y _____ cuadros.

2. Escribe el adjetivo contrario.

1. segura   *insegura*
2. divertido   _____
3. generosa   _____
4. antipático   _____
5. trabajadora   _____
6. intolerante   _____
7. mentiroso   _____
8. sociable   _____
9. rizado   _____
10. guapo   _____

3. Completa con uno de los verbos del recuadro en indicativo o subjuntivo.

> ir (x 2) – ser – operar – estar – poder
> querer – tener – saber – robar

1. Hoy he visto al médico que me _____ el año pasado.
2. Mira, ése es el autobús que _____ al centro.
3. Por favor, ¿puede darme una crema que _____ bien para las quemaduras?
4. Necesitamos un sofá que no _____ muy grande para el salón.
5. Ya han detenido al ladrón que _____ la semana pasada en el banco de aquí al lado.
6. Se han comprado un piso que _____ cuatro dormitorios y _____ en la calle Goya.
7. Buscan chicas que _____ hablar inglés, francés y portugués.
8. ¿Conoces a alguien que _____ ayudarme a cuidar a mi madre?
9. No conozco a nadie que _____ trabajar en esas condiciones.

4. Escribe la forma correspondiente del condicional.

1. escribir, ella   *escribiría*
2. salir, yo   _____
3. poner, tú   _____
4. decir, ella   _____
5. hacer, nosotros   _____
6. comer, Vd.   _____
7. vivir, yo   _____
8. estudiar, tú   _____
9. buscar, él   _____
10. venir, yo   _____

3
E

5. Completa las frases con el verbo en la forma adecuada.

1. Ayer *nos divertimos* mucho en el parque de Atracciones. (divertirse, nosotros)
2. Mi madre _____ cuando llego tarde del cine. (enfadarse)
3. Antonio nunca _____ , siempre está entretenido con sus cosas. (aburrirse)
4. No _____ que era tan difícil estudiar un idioma. (imaginarse, yo)
5. Ella dice que nunca _____ de sus promesas. (olvidarse)
6. A. ¿Dónde has puesto la carta del banco?
   B. No _____ . (acordarse, yo)
7. ¿_____ de que el vecino sale mucho por las noches? (darse cuenta)
8. Parece que Emilio y su hermana no _____ bien, siempre están discutiendo. (llevarse)
9. A mí me parece que Raúl no _____ mucho de la casa, la tiene un poco sucia. (preocuparse)

6. Relaciona los problemas con los consejos.

1. No tengo amigos y me siento solo. ☐f
2. Estoy deprimida, no tengo ganas de nada. ☐
3. Yo no quiero estudiar, quiero ser guitarrista, pero mis padres no me comprenden. ☐
4. Mi marido está trabajando todo el día y no habla mucho conmigo. ☐
5. Mi mejor amiga ha encontrado novio y me ha dejado sola. ☐
6. Mi mujer se pasa el día hablando por teléfono con su madre y no quiere salir conmigo. ☐

a. Lo que tienes que hacer es buscar otra amiga, u otro novio.
b. Yo en tu lugar hablaría con él y se lo diría.
c. Deberías hablar con tus padres y matricularte en una escuela de música.
d. Quizás deberías ir a un especialista.
e. Yo en tu lugar cortaría el teléfono.
f. Lo que tienes que hacer es salir, apuntarte a un grupo de senderismo o pintura y conocer gente.

7. En cada frase hay un error. Búscalo y corrígelo.

1. A mí me gusta la gente que sea simpática.
2. Roberto enfadó con su novia.
3. Viven en un piso que tenga dos dormitorios.
4. María es tímido y cariñoso.
5. Roberto tiene pelo castaño.
6. ¿Conoces a alguien que sabe hablar japonés?
7. Últimamente se me olvido los nombres de mis amigos.
8. Yo en tu lugar hablaré con tus padres.
9. Busco una chica que sea sincero.
10. ¿Acuerdas de Elena, la hermana de Jorge? Pues ha tenido un accidente.

8. Escribe un párrafo (puede ser un poema) sobre "¿qué es un amigo?".

Un amigo es alguien que te ayuda cuando lo necesitas…

_____

_____

_____

_____

😀😐☹️ *Soy capaz de…*

☐☐☐ *Describir la personalidad y el aspecto físico de una persona.*

☐☐☐ *Definir características de las cosas por medio de una oración de relativo.*

☐☐☐ *Hablar de sentimientos y de relaciones personales.*

☐☐☐ *Dar consejos.*

1. ¿Qué has hecho en los últimos años? Utiliza la ayuda del recuadro y cuéntale a tu compañero qué ha sido de tu vida.

> casarse – acabar la carrera – comprar – viajar
> estudiar – tener hijos – cambiar de trabajo

En estos diez años he estado en el extranjero, he conocido a un/a chico/a, he tenido un/a hijo/a.

2. Laura y Javier se encuentran después de un tiempo. Escucha la conversación y di si las afirmaciones son verdaderas o falsas. **15** 🔘

1. Laura y Javier se ven con frecuencia.   F
2. La vida de Laura no ha cambiado mucho. ☐
3. Javier vive en Madrid. ☐
4. Javier no ha cambiado de empresa desde que empezó a trabajar. ☐
5. La madre de Javier tiene problemas de salud. ☐

3. Escucha otra vez la grabación y contesta las siguientes preguntas. **15** 🔘

1. ¿Por qué le ha cambiado la vida a Laura?
2. ¿Dónde trabaja Laura?
3. ¿En qué ciudades ha trabajado Javier?
4. ¿Cuánto tiempo lleva viviendo en el campo?
5. ¿Sigue viviendo con Ana?
6. ¿Cuándo va a tener Javier su primer hijo?
7. ¿Qué está haciendo Javier en Madrid?
8. ¿Dónde están los hijos de Laura?

GRAMÁTICA

PERÍFRASIS VERBALES

Acabo de ver a Rosa con su novio.
Oscar empezó a trabajar la semana pasada.
Dejé de ir al gimnasio el mes pasado.
Llevamos viviendo en esta casa más de diez años.
Sigo teniendo el mismo teléfono.
Laura ha vuelto a operarse de la rodilla.

Dejar de...	
Acabar de...	+ infinitivo
Empezar a ...	
Volver a...	
Seguir ...	+ gerundio
Llevar...	

4. Relaciona.

1. Después de casarme… `b`
2. Empecé a bucear… ☐
3. El médico le aconsejó… ☐
4. Acabo de ver a Jesús… ☐
5. Lleva estudiando inglés… ☐
6. Maribel ha vuelto a estudiar… ☐

   a. …dejar de fumar.   **b.** …seguí viviendo en el mismo barrio.   **c.** …desde que iba a la escuela.
   d. …en la puerta de la clase.   **e.** …cuando tenía siete años.   **f.** …piano después de diez años.

5. Reescribe la frase. Utiliza una perífrasis.

1. Roberto dejó el fútbol, pero ahora juega otra vez.
   Roberto ha vuelto a jugar al fútbol.
2. Mi hermana tenía dos niños. Hace muy poco ha tenido una niña.
3. Rosa canta en un coro desde hace diez años.
4. Emilio ha jugado en un equipo de balonmano hasta el año pasado. Ya no juega.
5. Mi amiga Eva pinta paisajes desde que tenía ocho años.

GRAMÁTICA

Estar + gerundio

- La perífrasis *estar* + gerundio se utiliza para hablar de acciones en desarrollo en presente, pasado y futuro.
  Estamos esperando el autobús.
  Estuvimos esperando el autobús.
  Estaremos esperando el autobús.

Estaba + gerundio

- Se utiliza para acciones inacabadas en desarrollo. Generalmente tiene el mismo valor que el pretérito imperfecto.
  Conocí a Pedro cuando estábamos trabajando / trabajábamos en la agencia.

Estuve + gerundio

- Se utiliza para acciones acabadas pero vistas en su desarrollo. Coincide con el pretérito indefinido.
  Estuvo trabajando / Trabajé en la agencia doce años.

He estado + gerundio

- Se utiliza para acciones acabadas recientemente.
  He estado leyendo toda la mañana.

6. Escribe el verbo en la forma adecuada: *he estado / estaba / estuve* + gerundio.

1. María llegó ayer de vacaciones, (visitar) *ha estado visitando* a sus primos en Alemania.
2. La semana pasada (hablar, yo) _____ con la profesora de música de Jorge y me dijo que estaba muy contenta.
3. Cuando llegaron los abuelos, los niños (dormir) _____.
4. Tienes los ojos rojos. Otra vez (jugar, tú) _____ al ordenador toda la tarde.
5. El sábado por la tarde, (ver, nosotros) _____ a Paloma en el hospital. Ha tenido un accidente.
6. Mientras esperábamos el autobús, (hablar, nosotras) _____ de nuestras cosas.
7. La tormenta empezó cuando Roberto (salir)_____ con la bicicleta.
8. Mi marido (limpiar) _____ el coche toda la mañana.
9. El verano pasado María (estudiar) _____ español en Salamanca.

4 A

HABLAR

7. ¿Qué sabes de tu compañero? Practica con tu compañero las siguientes preguntas.

- ¿Cuánto tiempo llevas
  …viviendo en esta ciudad?
  …estudiando español?
- ¿Qué estuviste haciendo
  …el verano pasado?
  …el fin de semana?
- ¿Cuándo empezaste a
  …estudiar en esta escuela?
  …salir con tus amigos?
- ¿Cuándo dejaste de
  …ver los dibujos animados en la tele?

1. En parejas. Habla con tu compañero sobre tu educación primaria o secundaria. Di todo lo que puedas y contesta a las preguntas de tu compañero, como en el ejemplo.

A. *Fui a la escuela en mi pueblo.*

B. *¿Era una escuela pública o privada?*
¿Llevabas uniforme?
¿Comías en la escuela o en casa?
¿Qué horario tenías?
¿Te gustaban los profesores?
¿Cuáles eran tus asignaturas favoritas?…

2. Antes de leer el texto, busca el significado de *opción, recursos, desescolarizados, socialización, habilidades.*

3. Lee el texto y contesta las preguntas.

La escuela en casa

El "educar en casa" es una opción pedagógica que cada vez cuenta con más seguidores en Estados Unidos, Australia o Canadá. En Europa, han escogido esta opción un grupo de padres que están en desacuerdo con el sistema educativo tradicional y prefieren educar a sus hijos en el hogar.

Los métodos de enseñanza en casa son muy diversos, y son los padres los encargados de desarrollarlos. Según Xavier Alá, padre de tres niños de 12, 9 y 5 años, "Utilizamos todos los recursos a nuestro alcance: bibliotecas, museos, exposiciones, conciertos, parques, zonas deportivas públicas, el entorno natural y urbano y las nuevas tecnologías… Tenemos también muchos libros en casa y otras habilidades que podemos aprovechar".

El problema más importante que puede estar relacionado con este tipo de educación es la cuestión de la socialización. Muchos expertos opinan que la escuela significa el primer contacto del niño con la sociedad y cumple una importante función en la socialización. Por su parte, estos padres argumentan que los niños "desescolarizados" suelen relacionarse con bastantes más personas que los niños que van a la escuela y, además, se relacionan con más naturalidad con personas de todas las edades. ■

Revista *MUFACE*

1. ¿En qué países están aumentando los partidarios del sistema "educar en casa"?

2. ¿Qué caracteriza a los padres europeos partidarios de este sistema?

3. ¿Qué recursos educativos utiliza Xavier Alá con sus hijos?

4. Según los expertos, ¿cuál es el problema principal que pueden tener los niños "desescolarizados"?

5. ¿Qué opinan sobre esto los padres de los niños?

HABLAR

4. Con tu compañero, haz una lista de razones a favor de la enseñanza en casa y otra en contra. Luego comentadlo con otras parejas. ¿Hay estudiantes a favor o en contra?

A FAVOR	EN CONTRA
Los niños aprenden a su ritmo.	*No aprenden a escuchar.*

GRAMÁTICA

PRETÉRITO IMPERFECTO

Utilizamos el pretérito imperfecto especialmente para hablar de hábitos en el pasado. También para descripciones de situaciones en el pasado.

*Pablo, cuando **era** pequeño, **comía** en el colegio.*

5. a. Escribe frases sobre los cambios de hábitos (del pasado al presente), como en el ejemplo.

1. (yo) / tomar / café / té.
   Antes tomaba café, pero ahora tomo té.
2. Alicia / vivir / Barcelona / Madrid.
3. Mis amigos y yo / escuchar / música rock / música clásica.
4. Luisa / ir al trabajo / coche / metro.
5. Joaquín / ser / alegre / serio.
6. Mis hermanos / practicar / ciclismo / natación.

b. Escribe tres frases más sobre ti mismo.

HABLAR

6. Pregúntale a tu compañero sobre su infancia. Utiliza las ideas del recuadro.

> - ...con quién / compartir la habitación?
> - ...qué deportes / practicar tú y tus amigos?
> - ...qué comidas / gustar?
> - ...qué tipo de música / oír tus padres?
> - ...tu padre / tener coche?
> - ...vosotros / jugar en la calle?

Cuando eras pequeño, ¿qué programas (ver) veías en la televisión?

ESCUCHAR

7. Dos profesores hablan sobre la enseñanza de ahora y la de antes. Escucha y di si las afirmaciones son verdaderas o falsas. **16**

1. En la enseñanza de antes se utilizaba mucho la memoria. ☑V
2. Ahora los alumnos aprenden a razonar. ☐
3. En las escuelas de ahora, los chicos están separados de las chicas. ☐
4. Ahora las escuelas son mixtas. ☐
5. Antes los alumnos no respetaban al profesor. ☐
6. Ahora los estudiantes no pueden preguntar ni participar en las clases. ☐
7. Antes los profesores eran más estrictos. ☐
8. Ahora los profesores son más dialogantes. ☐
9. Ahora hay más silencio en clase que antes. ☐
10. Si el alumno no trabaja, no puede aprender. ☐

ESCRIBIR

8. Escribe tres párrafos sobre la escuela a la que fuiste.

- Tipo de escuela.
- ¿Dónde?
- ¿Cuánto tiempo estuviste allí?

- Nº de alumnos por clase.
- Profesores (estrictos, abiertos...)
- Disciplina
- Asignaturas preferidas.

- ¿Te gustaba tu escuela? ¿Por qué?
- Cuenta las cosas que te gustaban y las que no.

4 B

c. Lo que la vida me ha enseñado

1. ¿Cuál es tu opinión?

¿Cómo crees que se aprende más, estudiando en la escuela o en la calle?

¿Qué se aprende en cada lugar?

2. Lee y señala la opción verdadera, según el texto.

LOS LIBROS COMO ESCUELA

El escritor español Camilo José Cela, premio Nobel de Literatura en 1989, nacido en Galicia (1916-2002), realizó, unos años antes de morir, las siguientes declaraciones para el diario El País:

"Fui un niño feliz, con una niñez tranquila. Mis padres viajaban mucho, y yo vivía con mis abuelos ingleses en Iria Flavia, el sitio donde nací. De pequeño, cuando me preguntaban qué quería ser de mayor, me echaba a llorar, porque no quería ser nada, ni siquiera mayor. Por eso, no elegí ser escritor, fue la profesión la que me eligió a mí.

Todo lo que he aprendido en la vida lo sé gracias a la literatura. Los libros me han enseñado mucho. No así las instituciones culturales o la universidad, que sirven para despertar la curiosidad, pero luego uno debe trabajar solo. He leído muchos más libros de los que los profesores me recomendaron leer y he aprendido mucho de ellos, pero también he aprendido mucho de mis mayores. Hay viejos que razonan con una inteligencia limpia y a lo mejor no saben leer.

Para escribir *Viaje a la Alcarria*, cada día caminaba diez horas por los caminos. Hablé con todo tipo de personas y aprendí todo tipo de cosas.

Mis preferencias siguen siendo hoy las mismas de siempre: la novela, la poesía, el vino tinto y las mujeres. El placer por la vida no es algo limitado.

En literatura, el dinero no se puede buscar. Uno debe escribir lo que le da la gana, pero siendo lo más honesto posible. Si acierta, habrá muchos lectores deseosos de leer lo que ha escrito; pero si uno se equivoca, se queda solo".

"Entrevista con Camilo José Cela",
El País Dominical

1. ☐ a. Cuando era pequeño vivía con sus padres.

b. Cuando le preguntaban qué quería ser, decía que ser mayor.

c. Camilo no escogió la profesión de escritor.

2. ☐ a. La universidad enseña a vivir.

b. El escritor ha aprendido de los libros y de las personas mayores.

c. Hay personas mayores que no saben leer y no saben razonar.

3. ☐ a. El escritor tiene que escribir lo que honestamente le dicta la voluntad.

b. Al autor ya no le interesan la poesía ni las mujeres.

c. Si el escritor no es honesto se queda solo.

GRAMÁTICA

PRETÉRITO PERFECTO

Todo lo que he aprendido en la vida lo sé por los libros.

He leído muchos más libros de los que los profesores me recomendaron.

- Se utiliza el pretérito perfecto para expresar experiencias vitales, sin especificar el momento concreto en el que ocurrieron.

FORMACIÓN DE CONTRARIOS

- Para formar adjetivos contrarios, usamos los prefijos: *in-*, *i-* y **des-**.

útil	**in**útil
legales	**i**legales
ordenada	**des**ordenada

- Si el adjetivo empieza por **p** o **b**, el prefijo es *im-*, en vez de *in-*.

presentable	**im**presentable
batido	**im**batido

3. Escribe los contrarios de los siguientes adjetivos extraídos del texto, utilizando los prefijos adecuados. Comprueba en tu diccionario.

1. feliz   *infeliz*
2. limitado
3. tranquila
4. honesto

4. Subraya el adjetivo correcto.

1. El dinero es *necesario* / *innecesario* para comprar.
2. Este problema tan difícil no lo puede resolver una persona *experta* / *inexperta*.
3. Ser *responsable* / *irresponsable* es un gran defecto.
4. Su ayuda no sirvió para nada. Fue *útil* / *inútil*.
5. Este sillón es estupendo; es muy *cómodo* / *incómodo*.
6. Una vez resuelto el problema, la situación estaba *controlada* / *descontrolada*.
7. Siempre quiere tener razón, es muy *tolerante* / *intolerante*.

5. Completa las frases con los adjetivos contrarios a los del recuadro.

> paciente – justo/a – maduro/a – legal
> agradable – sensible – sociable

1. Nosotros estábamos muy incómodos, la situación era muy *desagradable.*
2. Todos lloraban, menos María. Es muy _____.
3. No tengas prisa. No seas _____.
4. Actúa como una niña pequeña. Es muy _____.
5. Está prohibido aparcar aquí. Es _____.
6. El castigo no fue igual para todos. Fue _____.
7. Tiene mucha dificultad para relacionarse. Es muy _____.

PRONUNCIACIÓN Y ORTOGRAFÍA

ACENTUACIÓN DE MONOSÍLABOS

Generalmente, las palabras de una sola sílaba no llevan tilde.

pan, mar, yo, sal, fue, dio.

Sin embargo, algunas palabras monosílabas llevan tilde para diferenciar su categoría gramatical o su significado. (Ver referencia gramatical pág. 139).

Mi hermana tiene 20 años.
A mí no me gusta bailar.

1. Escribe la tilde en la palabra monosílaba correspondiente.

1. a. Déjame el diccionario.
   b. A el no le digas nada.
2. a. El te verde es muy bueno.
   b. ¿Cuándo te vas a duchar?
3. a. Dame el paquete a mi.
   b. Mañana viene mi hermano.
4. a. Este niño no se llama Pedro.
   b. Yo no se dónde está Carmen.
5. a. ¿Tu vas a ir a la boda de María?
   b. ¿Dónde está tu abrigo?
6. a. Si puedo, iré a verte.
   b. El si quiere casarse, pero ella no.

2. Escucha, comprueba y repite. **17**

3. Escribe otras frases con los monosílabos anteriores. Díctaselas a tu compañero.

4
C

D. Escribe

SIGNOS DE PUNTUACIÓN: PUNTO, DOS PUNTOS Y COMA

1. Lee el siguiente cuadro con las normas de puntuación en español. ¿Cuáles de ellas son diferentes en tu idioma?

- Utilizamos **punto** (.) al final de cada frase (periodo del texto con sentido completo). Cada vez que se pasa a otro asunto se pone punto y aparte, así se inicia otro párrafo. Siempre después de punto se empieza con mayúscula.

  Juan llamó por teléfono. Dijo que acababa de llegar de Londres.

- Utilizamos **coma** (,):

  ▸ Para separar las enumeraciones.

  Antonio, Ana y Jesús vienen a cenar.

  ▸ Para separar el vocativo (la persona a la que nos dirigimos) del resto de la frase.

  Enrique, ¿tú qué opinas?

  ▸ Para separar las aclaraciones dentro de una frase.

  Ronaldo, que juega en el Real Madrid, nació en Brasil.

  ▸ Delante de conectores como *pero, sin embargo, por tanto…*

  Es lista, pero muy perezosa.

- Utilizamos **dos puntos** (:):

  ▸ Delante de las citas, que siempre van entre comillas (").

  Raúl dijo: "Ganaremos el mundial".

  ▸ Después de la presentación en una carta.

  Muy señor mío:

  ▸ Para iniciar una enumeración.

  Los cuatro puntos cardinales son: norte, sur, este y oeste.

2. Escribe las mayúsculas y los signos de puntuación necesarios.

1. no tuvo que decirme cuándo dónde ni por qué
2. cambié de imagen y me puse a la moda bigote pelo largo pantalones vaqueros camisa de flores y sandalias
3. jacinto ven aquí que voy a contarte algo
4. quise pedir un préstamo pero mi sueldo era muy bajo
5. no le faltaba razón ese barco no era seguro
6. ¿pedro estás contento con tu trabajo?
7. le dije a adriana estás igual que siempre
8. ella no dijo nada sin embargo todos la entendimos
9. él me dijo hace más de un año que no veía a juan
10. encontré lo que estaba buscando tijeras pegamento papel y rotuladores

3. Puntúa los siguientes párrafos con los signos de puntuación adecuados.

Gabriel
García Márquez
Vivir para contarla
(Adaptado)

Mi madre había llegado a Barranquilla esa mañana y no tenía la menor idea de cómo encontrarme preguntando por aquí y por allá le indicaron que me buscara en la librería Mundo el que se lo dijo le advirtió vaya con cuidado porque son locos de remate

Algo había cambiado en ella que me impidió reconocerla a primera vista había encanecido por completo antes de tiempo pero conservaba la belleza romana de su retrato de bodas

De acá y de allá

ESPAÑA Y LOS ESPAÑOLES

1. ¿Cuánto sabes sobre España? Realiza el cuestionario. Luego comprueba con tu compañero.

Encuesta

I. La Cibeles es:
- ☐ una bebida
- ☐ un famoso restaurante de Toledo
- ☐ una fuente en Madrid

2. En Sevilla tú puedes visitar:
- ☐ la Giralda
- ☐ la Mezquita
- ☐ la Sagrada Familia

3. El Real Madrid es un famoso equipo de:
- ☐ baloncesto
- ☐ fútbol
- ☐ balonmano

4. La capital de Cataluña es:
- ☐ Bilbao
- ☐ Santiago de Compostela
- ☐ Barcelona

5. ¿Cuál de estos actores es español?
- ☐ Robert de Niro
- ☐ Javier Bardem
- ☐ Andy García

6. El Rey actual de España se llama:
- ☐ Juan Carlos I
- ☐ Carlos I
- ☐ Constantino I

7. La población de España es alrededor de:
- ☐ 20 millones
- ☐ 40 millones
- ☐ 60 millones de habitantes

8. ¿Quién escribió *El Quijote*?
- ☐ Quevedo
- ☐ Lope de Vega
- ☐ Cervantes

9. ¿Cuál es la comida típica española?
- ☐ la pizza
- ☐ la paella
- ☐ los rollitos de primavera

10. El tren de alta velocidad entre Madrid y Sevilla se llama:
- ☐ Talgo
- ☐ Ter
- ☐ AVE

2. Escribe un cuestionario sobre tu país y haz las preguntas a tus compañeros.

E. Autoevaluación

1. Completa las frases. Utiliza *estaba / estuve / he estado* + gerundio.

> *Estaba leyendo (leer, yo) el periódico cuando llamaron a la puerta.*

1. ¿Qué *estabas haciendo* (hacer, tú) cuando sonó el teléfono?
2. Cuando lo vi, Ignacio _____ (comprar) un regalo para Ana.
3. El año pasado _____ (estudiar, yo) español en el Instituto Cervantes.
4. ¡_____ (comer, vosotros) caramelos toda la mañana!
5. Cuando sonó el teléfono _____ (preparar, yo) la comida.
6. Ayer _____ (trabajar, nosotros) hasta las diez de la noche.
7. ¿Por dónde _____ (viajar) tus padres este verano?
8. Hace muchos años, _____ (trabajar, nosotros) en Barcelona.
9. Esta mañana _____ (esperar, yo) el autobús más de media hora.
10. _____ (ver, nosotros) el partido cuando se estropeó la televisión.

2. Completa las frases con las palabras del recuadro.

> de fumar – a vivir – a casarse – estudiando
> a trabajar – fumando – de llamar
> escuchando – trabajando – viviendo

1. Cuando cumplió veinte años empezó *a trabajar.*
2. Cuando nació mi primer hijo, seguí _____.
3. Cuando se lo recomendó el médico, dejó _____.
4. Aunque estaba enfermo siguió _____.
5. Llevamos muchos años _____ en Sevilla.
6. Cuando me divorcié, volví _____ en casa de mis padres.
7. Acaba _____ Pepe y dice que viene a comer con nosotras.
8. Siguió _____ hasta que terminó su segunda carrera.
9. Mi hermana ha vuelto _____.
10. Mis amigos siguen _____ música de los años ochenta.

3. Completa las siguientes frases con el tiempo correcto (presente / pretérito imperfecto).

1. Antes *iba* (ir, yo) a conciertos de rock; ahora *voy* a conciertos de música clásica.
2. Mis primos _____ (vivir) en Málaga; ahora _____ en Córdoba.
3. Los sábados mis amigos y yo _____ (jugar) al fútbol; ahora _____ a las cartas.
4. Mi hermano _____ (ser) muy aficionado al tenis; ahora _____ (preferir) el golf.
5. Antes _____ (lavar, yo) el coche todas las semanas; ahora lo _____ una vez al mes.
6. Antes _____ (ver, nosotros) a nuestros amigos todos los fines de semana; ahora los _____ muy poco.
7. Antes los fumadores _____ (poder) fumar en los centros de trabajo, ahora no _____.
8. Cuando _____ (ser, yo) pequeño, _____ (cantar, yo) en el coro de mi pueblo. Ahora _____ en un grupo de rock.

4. Escribe los contrarios de los siguientes adjetivos.

1. **justo**   *injusto*
2. **feliz**   _____
3. **honesto**   _____
4. **completo**   _____
5. **cansado**   _____
6. **agradable**   _____
7. **popular**   _____
8. **experto**   _____
9. **legal**   _____
10. **real**   _____

5. Elige el tiempo correcto.

1. El tren *salía / ha salido* hace diez minutos.
2. Toda mi vida *he sido / era* muy ordenado.
3. Juan *vivía / ha vivido* en casa de sus padres hasta que se compró un piso.
4. Cuando trabajaba en la calle Barquillo *desayunaba / he desayunado* en la cafetería de la esquina.
5. Siempre *bebí / bebía* mucho café. Ahora el médico me ha recomendado que lo tome descafeinado.
6. Cuando vivíamos en Madrid, todos los viernes *íbamos / hemos ido* al cine.

7. ¿Has *ido / ibas* esta semana al teatro?

8. Fuimos a ver la exposición, pero no me *gustaba / gustó* nada.

9. Él *quería / ha querido* ir en coche, pero le convencí para que cogiéramos el metro.

10. Cuando salimos del cine, todas las tiendas *estaban/ han estado* cerradas.

6. Completa el texto con los verbos del recuadro.

> se abrazaban – vio – vivía – viajaba
> desapareció – subía – escuchó – esperaba
> volvía – vino

7. Escribe un párrafo sobre las experiencias que ya has tenido y otras que todavía no. Utiliza la ayuda.

> • Estar en un país extranjero
> • Salir en la tele
> • Ganar un concurso o una carrera deportiva
> • Tener hijos
> • Plantar un árbol

EL VIAJE

Achával (1) *vivía lejos*, a más de una hora de Buenos Aires.

Cada mañana Acha (2)_____ al ferrocarril de las nueve para irse a trabajar. Subía siempre al mismo vagón y se sentaba en el mismo lugar.

Frente a él (3)_____ una mujer. Todos los días, a las nueve y veinticinco, esa mujer bajaba por un minuto en una estación, siempre la misma, donde un hombre la (4)_____ parado siempre en el mismo lugar. La mujer y el hombre (5)_____ y se besaban hasta que sonaba la señal de salida. Entonces ella se desprendía y (6)_____ al tren.

Esa mujer se sentaba siempre frente a él, pero Acha nunca le (7)_____ la voz.

Una mañana ella no (8)_____ y a las nueve y veinticinco Acha (9)_____, por la ventanilla, al hombre esperando en el andén. Ella nunca más vino. Al cabo de una semana el hombre también (10)_____.

Eduardo Galeano

___

😀😐☹️ *Soy capaz de...*

☐ ☐ ☐ *Hablar de experiencias con recursos lingüísticos como perífrasis verbales, pretérito perfecto.*

☐ ☐ ☐ *Hablar de la infancia y de la educación que recibí.*

☐ ☐ ☐ *Formar contrarios de algunos adjetivos.*

☐ ☐ ☐ *Utilizar los signos de puntuación.*

A. ¿Por qué soy vegetariano?

3. Vas a escuchar a una persona que es vegetariana y nos explica sus motivos. Escucha la grabación y contesta las preguntas. **18**

1. ¿Por qué se convirtió en vegetariano?
2. ¿Qué alimentos no comen los vegetarianos?
3. El autor desayuna sólo fruta por la mañana, ¿para qué?
4. ¿Cómo reaccionaron sus amigos cuando se convirtió en vegetariano?
5. ¿Qué miembro de su familia no come carne actualmente?
6. ¿Qué hará el autor para evitar que sus hijos coman "comida basura"?
7. ¿Qué alimentos comen los vegetarianos?
8. ¿Qué es lo que más le gusta al autor cuando invita a cenar a sus amigos?

1. Clasifica los alimentos del recuadro en la columna correspondiente. Añade algunos más.

> berenjenas – garbanzos – mejillones
> filete – yogur – salchichas – merluza – queso
> lentejas – coliflor

CARNE	LEGUMBRES	PESCADO	LÁCTEOS	VERDURAS
filete				

2. ¿Qué sabes sobre los distintos tipos de alimentación?

> ● ¿Cómo se llaman las personas que no comen carne? ● ¿Y las que no comen ningún producto de origen animal (leche, huevos…)? ● ¿Qué piensas de ellos? ● ¿Estás de acuerdo con su filosofía?

HABLAR

4. Lee y señala con V las afirmaciones con las que estés de acuerdo y con X las que no compartes. Luego compara tus respuestas con las de tu compañero.

1. Comer carne hace más agresiva a la gente. ☐
2. No es necesario comer carne porque con una dieta vegetariana se cubren todas las necesidades. ☐
3. Una dieta completa necesita de todo, también la carne. ☐
4. Es injusto tener que matar animales para comer. ☐
5. Los pollos y pavos viven en unas condiciones horribles. ☐
6. La comida vegetariana es aburrida. ☐
7. La carne contiene hormonas perjudiciales para la salud. ☐

5. En grupos de tres. Cada uno elige uno de los siguientes personajes. Defiende tu dieta y trata de convencer a tus compañeros. Prepara un guión antes de hablar.

> **A** Eres vegetariano. Estás en desacuerdo con la gente que come carne, pescado, huevos y leche.

> **B** Te alimentas habitualmente de "comida rápida": bocadillos, congelados, pizzas, perritos, etcétera.

> **C** Eres un "gourmet". Te encanta la comida de calidad, incluyendo la carne, pescado y productos frescos.

GRAMÁTICA

ORACIONES FINALES

- Se utiliza **para** + infinitivo cuando el sujeto de los dos verbos es el mismo.

  *(Yo) Desayuno fruta **para (yo) desintoxicarme**.*

- Se utiliza **para que** + subjuntivo cuando los sujetos son diferentes.

  *(Yo) Te llamo **para que (tú) me cuentes** lo que pasó.*

6. Relaciona.

1. Hago dieta para...   ☒ J
2. He comprado lechuga y tomates para que...   ☐
3. Come espinacas para...   ☐
4. He ido a la frutería para...   ☐
5. He lavado los tomates para...   ☐
6. He abierto la ventana para que...   ☐
7. Duermo ocho horas para...   ☐
8. Te llamo para que...   ☐
9. Hacen deporte para...   ☐
10. He hecho pasta para que...   ☐

a. ...entre aire fresco. **b.** ...hagas una ensalada. **c.** ...cenen los niños. **d.** ...estar en forma. **e.** ...comprar fruta para el desayuno. **f.** ...estar fuerte como Popeye. **g.** ...me des la receta del pastel de manzana. **h.** ...preparar la ensalada. **i.** ...levantarme descansado. **j.** ...adelgazar.

7. Completa las frases con el infinitivo o subjuntivo de los verbos del recuadro.

> regar – secarse – cocinar – oír – explicar
> saber (x 2) – hacer – estar

1. Hay que cuidar la alimentación para *estar* sano.
2. Fuimos al concierto para _____ cantar a Luis.
3. En verano le dejo las llaves a la vecina para que _____ las plantas.
4. Esta tarde viene mi sobrino para que mi marido le _____ los problemas de matemáticas.
5. Hablé con Laura para _____ cómo estaba.
6. He comprado setas para que Daniel _____ la cena.
7. He regado el césped para que no _____.
8. Te mando este correo para que _____ lo que ha pasado.
9. Nos hace falta aceite para _____.

B. Las otras medicinas

1. ¿Sabes la diferencia entre medicina occidental y medicina alternativa? ¿Conoces algún tipo de medicina alternativa? ¿Cuál? Cuéntaselo a tus compañeros.

2. Lee las definiciones y completa las frases.

PEQUEÑO DICCIONARIO DE MEDICINAS ALTERNATIVAS

Aromaterapia
Remedios naturales basados en la olor de las plantas.

Cromoterapia
Los colores se utilizan para producir respuestas psicológicas.

Fitoterapia
Uso medicinal de las plantas, en estado natural o preparados.

Hidroterapia
Utilización del agua en forma medicinal.

Musicoterapia
Uso de la música como medio de expresión de sentimientos y emociones.

Risoterapia
Uso de la risa para mejorar el ánimo y algunas enfermedades.

1. En los balnearios con sus aguas termales se practica la _____.
2. Los vahos de eucalipto para curar resfriados se utilizan en la _____.
3. El corazón recibe más oxígeno cuando nos reímos en la clase de _____.
4. El jazz y la música clásica se utilizan en la _____.
5. Mi médico me ha mandado un tratamiento de hierbas. Practica la _____.

3. Lee el siguiente texto y di si son verdaderas (V) o falsas (F) las siguientes afirmaciones.

Acupuntura

Después de pedir respuestas imposibles a la medicina occidental, la sociedad del siglo XXI ha descubierto otros caminos para solucionar sus problemas de salud. Los gimnasios ofrecen clases de yoga, los viejos herbolarios reviven sus épocas doradas, la agricultura biológica avanza día a día... Entre las diferentes alternativas, la acupuntura está considerada como una de las más eficaces.

La acupuntura es una de las técnicas curativas más antiguas. Su tradición arranca en el siglo V a. C., aunque no llegó a occidente hasta el siglo XII. A pesar de que este método tiene implicaciones filosóficas y religiosas, la acupuntura es la alternativa más aceptada por la medicina institucional. Consiste en introducir agujas, o aplicar dedos (dígito-puntura), en determinados puntos de nuestro organismo relacionados con una enfermedad. Ciertos puntos del cuerpo, al ser estimulados con las agujas, favorecen el paso de las energías, aumentando o disminuyendo su intensidad. De este modo se consigue recuperar el equilibrio entre las fuerzas positivas y negativas (*yin* y *yang*) y recuperar la salud.

Aunque estos principios no tienen ninguna base científica, la acupuntura puede eliminar dolores que no se han conseguido eliminar con la medicina occidental.

(Adaptado de la revista *Clara*)

1. La medicina occidental ha dado solución a todos los problemas de salud. `F`
2. Los herbolarios no están atravesando una buena época. ☐
3. El cultivo de productos biológicos es cada día más importante. ☐
4. La acupuntura llegó a Europa en el siglo v a. C. ☐
6. La medicina occidental respeta la práctica de la acupuntura. ☐
7. En la acupuntura se introducen agujas en el cuerpo humano para curar enfermedades. ☐
8. La enfermedad se produce cuando hay un desequilibrio entre las fuerzas positivas y negativas. ☐
9. La acupuntura está basada en principios científicos. ☐

ESCUCHAR

EL SALUDO AL SOL

El saludo al sol es un ejercicio de yoga que consiste en una serie de movimientos suaves sincronizados con la respiración. Una vez que haya aprendido las posturas, es importante que las combine con una respiración rítmica.

4. Vas a leer y escuchar las instrucciones para realizar un ejercicio de yoga llamado *El saludo al sol*. Completa el texto con las palabras del recuadro. **19** 🔘

> brazos (x 2) – frente – orejas – manos (x 2)
> pierna (x 2) – rodillas (x 2) – espalda – pies (x 4)
> cuerpo – dedos – caderas – cabeza – pecho

1. De pie, expire al tiempo que junta las *manos* (1) a la altura del _____(2).
2. Aspire y estire los _____(3) por encima de la _____(4). Inclínese hacia atrás.
3. Expirando, lleve las manos al suelo, a cada lado de los _____(5), de forma que los _____(6) de manos y pies estén en línea.
4. Aspire al tiempo que estira hacia atrás la _____(7) derecha, y baje la _____(8) derecha hasta el suelo.
5. Conteniendo la respiración, lleve hacia atrás la otra pierna y estire el _____(9).
6. Apoye las rodillas, el pecho y la _____(10) sobre el suelo.
7. Aspire, deslice las _____(11) hacia delante e incline la cabeza hacia atrás.
8. Expire y, sin mover las _____(12) ni los _____(13), levante las caderas.
9. Aspire y lleve el _____(14) derecho hacia delante. Estire hacia atrás la _____(15) izquierda.
10. Lleve el otro _____(16) hacia delante. Estire las _____(17) y toque las piernas con la frente.
11. Aspire a la vez que inclina la _____(18) con la cabeza hacia atrás y mantiene los _____(19) junto a las _____(20).
12. Expire al tiempo que regresa a la posición inicial.

5 B

C. El sueño

1. Lee el cuestionario y luego hazle las preguntas a tu compañero.

> • ¿Cuántas horas duermes diariamente? • ¿Te afectan el café o el té para dormir? • Cuando no puedes dormir, ¿qué haces: oír la radio, ver la televisión, leer...? • ¿Puedes dormir en los viajes? • ¿Te da sueño después de comer? • ¿Recuerdas tus sueños? • ¿Necesitas despertador?

2. Lee el texto. ¿Los consejos que da son para dormir o para no dormir?

Actitudes que seguro le causarán insomnio

Mucha gente adopta ciertas conductas nocivas sin pensar que con ellas está afectando a la calidad de su sueño. Si usted quiere pasarse toda la noche dando vueltas en la cama sin poder dormirse, haga lo siguiente:

A. Acuéstese pensando en todas las cosas negativas que le pasaron durante el día, y piense en cómo resolverá los problemas que le esperan al día siguiente.

B. Cene abundantemente y acuéstese inmediatamente después. Su diafragma estará tan comprimido que tendrá los ojos más abiertos que un búho.

C. Una hora antes de acostarse, practique un deporte de competencia como el tenis o el fútbol. La adrenalina originada por su organismo para tratar de ganar, sumada al enfado de la posible derrota, hará que no pegue ojo en toda la noche.

D. De un día para el otro cambie sus costumbres: duerma sin almohada o, si antes no lo hacía, dese un baño bien caliente antes de acostarse. Si logra dormir, será casi un milagro.

(Buena Salud, texto adaptado)

3. Subraya los imperativos que aparecen en el texto.

4. Escribe todos los imperativos en forma negativa, de manera que los consejos sean válidos para dormir.

Acuéstese	No se acueste

HABLAR

5. En grupos de tres o cuatro, escribid una lista de consejos en imperativo afirmativo y negativo para dormir bien. Intercambiad los consejos con otros grupos.

GRAMÁTICA

EL IMPERATIVO

- Se usa el imperativo para dar órdenes, para pedir favores, para dar instrucciones y consejos.

  Abrid los libros.
  Tráeme un vaso de agua, por favor.
  Duerma ocho horas.

- Todas las formas del imperativo (excepto *tú* y *vosotros* en la forma afirmativa) son iguales que las del presente de subjuntivo.

Cambiar

cambia (tú)	no cambies (tú)
cambie (usted)	no cambie (usted)
cambiad (vosotros)	no cambiéis (vosotros)
cambien (ustedes)	no cambien (ustedes)

- Los verbos que son irregulares en presente de indicativo tienen la misma irregularidad en imperativo (excepto la persona *vosotros*).

Dormir

Presente	Imperativo	
duermo (yo)	duerme (tú)	dormid (vosotros)

- Otros verbos irregulares.

	Imperativo	
	afirmativo	**negativo**
Decir:	di (tú)	no digas
Ir:	ve (tú)	no vayas
Hacer:	haz (tú)	no hagas
Poner:	pon (tú)	no pongas
Oír:	oye (tú)	no oigas
Venir:	ven (tú)	no vengas
Salir:	sal (tú)	no salgas

6. Completa los siguientes consejos. Utiliza los verbos del recuadro.

> no dormir – levantarse – no olvidar – elegir
> no tomar – romper – poner

LOS SECRETOS DE LA SIESTA

a) *No tomes* té o café al terminar de comer si vas a dormir la siesta.

b) _____ un sillón o sofá adecuado.

c) _____ más de veinte o treinta minutos.

d) _____ con las preocupaciones y el estrés.

e) _____ una música de fondo que te acompañe en tu descanso.

f) _____ con calma, sin prisas.

g) _____ que la siesta es una buena terapia para la salud física y mental.

PRONUNCIACIÓN Y ORTOGRAFÍA

LA G Y LA J

/g/ g + a, o, u.
 gu + e, i

/x/ g + e, i
 j + a, e, i, o, u.

1. Escucha y repite. **20** 🔘

> genio – gente – joven – jueves – jefe – jirafa

> gato – gorro – agua – García – goma – guapo

> guerra – guía – guitarra – guepardo

2. Completa con *j, g o gu*.

1. El ___ueves pasado ___u____é al fútbol con Martín.
2. El _____epardo es un animal muy rápido.
3. Lávate las manos con ____abón.
4. El novio de Isabel es muy ____uapo.
5. En el ____ardín de Luis hay dos ____eranios.
6. Tu corbata es i____ual que la mía.
7. Luis, toca la ____itarra, por favor.
8. Julia, tráeme la a____enda que está al lado del teléfono.
9. María ha te____ido un ____ersey para su nieto.
10. Para lle____ar al hotel, si____e todo recto y luego ____ira a la derecha.

3. Escucha, comprueba y repite. **21**

D. Escribe

CARTA A UN CONSULTORIO MÉDICO

1. A continuación hay dos cartas con dos problemas diferentes que se han mezclado. Mira el título de cada una e identifica los párrafos con las cartas. Después, ordénalos.

A. Dolor de rodilla de un ciclista.
B. Molestias en el hombro derecho.

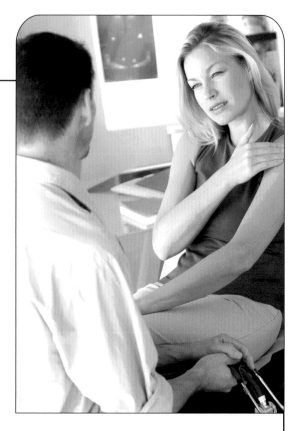

Desde hace tres meses tengo un dolor en el hombro derecho. Al principio el dolor durante el día era muy leve y algo más molesto por la noche. [B 1]

Soy un hombre de 43 años, mido 1,60 y peso 66 kg. Hace unos dos años que practico *mountain bike*. Siempre me ha ido muy bien, pero desde hace un mes he empezado a sentir dolor en las dos rodillas. [ ]

Cuando subo escaleras siento una punzada en el menisco que me deja paralizado. Por la noche en la cama el dolor es como un hormigueo. Por la mañana vuelven las molestias y dolores que son casi insoportables. [ ]

A los pocos días fui al médico y me diagnosticó tendinitis y me recetó antiinflamatorios durante 15 días. Pero el dolor seguía, los antiinflamatorios no me hacían efecto. A los quince días volví al médico y me mandó unas radiografías. [ ]

Hace dos semanas que no practico nada de ciclismo y estoy esperando para hacerme unas pruebas. ¿Cree usted que es grave? [ ]

Estoy a la espera de las pruebas, pero últimamente el dolor ha aumentado, hasta el punto de que no puedo peinarme. No sé si debo esperar a las radiografías o dirigirme a Urgencias. [ ]

2. En parejas. Comprueba con tu compañero si has ordenado bien las cartas. Comenta qué respuestas daríais a cada problema.

3. Las dos consultas anteriores tratan de dolores. Imagina que tienes algún tipo de dolor y escribe una carta al consultorio de la revista anterior.

Explica:

- cuándo han empezado las molestias,
- cómo han evolucionado,
- en qué momento del día es más fuerte el dolor,
- si has ido al médico,
- qué te ha recomendado y recetado.

De acá y de allá

VIAJAR AL CARIBE

1. Lee el texto y contesta las preguntas.

Al son de Cuba

¿No has estado hasta ahora en la isla más divertida de América, el mejor lugar para bailar, relajarse y disfrutar? Sí, Cuba.

Cuba es tu destino: sol radiante, preciosas playas de arena blanca y cultura centenaria.

Son muchos los destinos que se pueden visitar en esta isla. La Habana, su capital, puede ser el punto de comienzo. Es una ciudad donde se mezclan la modernidad y tradición. Es imprescindible caminar por sus calles, visitar sus castillos y disfrutar de su malecón, sus teatros, restaurantes... Pero sin ninguna duda lo más impresionante de La Habana son sus gentes, hospitalarias y sonrientes como pocas en el mundo.

Nuestro viaje podría continuar en Varadero, conocido como la "playa Azul", donde sus playas de arena blanca y aguas multicolores te permitirán ponerte moreno y descansar. Si eres aficionado al buceo, los distintos tipos de corales y peces te harán sentir en el paraíso. No lo dudes, Varadero te espera.

No podemos dejar a un lado la comida cubana, con influencias españolas y africanas. El arroz con frijoles, también llamado "moros y cristianos", el puerco, preparado de distintas formas, y la langosta son los platos más típicos, sin olvidarnos de los dulces como las natillas, el arroz con leche, etcétera.

Las compras tradicionales son: los puros habanos y la música cubana.

No dejes de visitar esta joya caribeña tan pronto como puedas.

---

1. ¿Dónde se encuentra la isla de Cuba?
2. ¿Cuál es su capital?
3. ¿Cómo son los habitantes de La Habana?
4. ¿Qué se puede hacer en Varadero?

5. ¿Qué vas a encontrar si buceas en la "playa Azul"?
6. ¿Qué son los "moros y cristianos"?
7. ¿Qué postres destacan en la cocina cubana?
8. ¿Qué puedes traer de recuerdo a tus amigos si vas a Cuba?

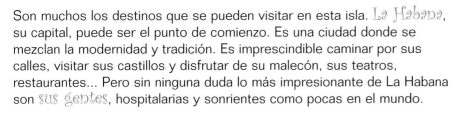

E. Autoevaluación

1. Completa los huecos con las frases del recuadro.

> a. para que se te quite la sed
> b. para que respires mejor
> c. para que no te duela la garganta
> d. para preguntarle por su salud
> e. para tener los dientes sanos
> f. para comprar las medicinas
> g. para que le hagan una radiografía
> h. para que se me quite el dolor de cabeza
> i. para dormir ocho horas
> j. para estar en forma

1. He llamado a Irene *para preguntarle por su salud.*
2. _____ hay que hacer mucho ejercicio.
3. Me he tomado una aspirina _____.
4. Te voy a preparar unos vahos de eucalipto _____
5. Vamos a la farmacia _____.
6. Me lavo los dientes tres veces al día _____
7. Te he preparado un vaso de agua fresca _____
8. Se ha roto un brazo y le han llevado a Urgencias _____
9. No bebas agua fría _____
10. Acuéstate antes de las doce _____

2. Completa las frases con *para* o *para que* y con uno de los verbos del recuadro en su forma correcta.

> jugar – adelgazar – no entrar – hacer – ver
> no tener – haber – venir – no salir – comprar

1. Cierra la ventana *para que no haga* frío.
2. Llama al restaurante _____ una reserva.
3. No debemos tomar pastillas _____.
4. Cambia la bombilla _____ luz.
5. Ponte la bufanda _____ frío en la garganta.
6. Trae el juego nuevo _____ los niños.
7. Dame dinero _____ leche.
8. He cerrado el grifo _____ el agua.
9. ¿Vienes a mi casa _____ el partido?
10. Llama a tus amigos _____ a tu fiesta.

3. Completa el texto con las palabras del recuadro.

> manos – dedos – pecho – brazos – piernas – pies
> rodillas – cuerpo – caderas – cabeza – espalda

El cuerpo humano está formado por:
(1) *cabeza*, tronco y extremidades.
Las extremidades superiores son los (2)_____, que terminan en las (3)_____, y la inferiores son las (4)_____, que terminan en los (5)_____. Cada una de las extremidades tiene cinco (6)_____.
Para poder flexionar las extremidades inferiores utilizamos las (7)_____.
Las extremidades inferiores se unen al tronco en las (8)_____. En la parte delantera del tronco tenemos el (9)_____ y en la parte trasera la (10)_____.

4. Completa la tabla con los imperativos irregulares.

Decir		
	afirmativo	negativo
tú		no digas
usted	diga	
vosotros/as		
ustedes		

Ir		
tú		
usted		no vaya
vosotros/as		
ustedes	vayan	

Hacer		
tú		
usted		
vosotros/as	haced	
ustedes		no hagan

5
E

Venir

tú		
usted		no venga
vosotros/as		
ustedes	vengan	

Salir

tú	sal	
usted		no salga
vosotros/as		
ustedes		

5. Escribe las frases en imperativo.

1. Decir la verdad (tú).
   Afirmativa: ¡Di la verdad!
   Negativa: ¡No digas la verdad!

2. Ir al dentista (tú).
   Af.: _____
   Neg.: _____

3. Salir de uno en uno (vosotros).
   Af.: _____
   Neg.: _____

4. Apagar la luz, por favor (usted).
   Af.: _____
   Neg.: _____

5. Hacer lo que te han dicho (tú).
   Af.: _____
   Neg.: _____

6. Poner la televisión, por favor (tú).
   Af.: _____
   Neg.: _____

7. Bajar el volumen, por favor (ustedes).
   Af.: _____
   Neg.: _____

8. Seguir los consejos (usted).
   Af.: _____
   Neg.: _____

6. Completa el texto con las palabras del recuadro.

no dejes – Vete – Haz – para que – para – cuerpo

PARA QUE TE SIENTE BIEN EL VERANO

☼ ¡Aprovecha las horas de sol, (1)_____ la luz mejore tu estado de ánimo! En verano es mucho más difícil deprimirse.

☼ ¡(2)_____ más ejercicio! Da largos paseos para que tu (3)_____ se ponga en forma y te sientas mucho mejor.

☼ ¡Come ligero! En verano (4)_____ de comer ensaladas, fruta y alimentos sanos para controlar el peso.

☼ ¡El agua es mágica! Camina por la orilla de la playa (5)_____ activar la circulación.

☼ ¡(6)_____ de vacaciones! ¿Conoces algo mejor para quitarte el estrés y disfrutar de unos días libres?

7. ¿Son las siguientes afirmaciones verdaderas o falsas?

1. Andar mejora tu condición física. ☑
2. Las vacaciones producen estrés. ☐
3. En verano hay más horas de luz. ☐
4. Haciendo ejercicio te sientes mejor. ☐
5. Las ensaladas y la fruta engordan. ☐
6. No tienes que caminar por la playa.
   No es aconsejable para tu circulación. ☐

😀 😐 🙁 *Soy capaz de...*

☐☐☐ *Hablar de diferentes tipos de alimentación.*

☐☐☐ *Expresar finalidad (para + infinitivo / para que + subjuntivo).*

☐☐☐ *Hablar de enfermedades y terapias alternativas.*

☐☐☐ *Dar consejos con imperativo.*

A. Ecológicamente correcto

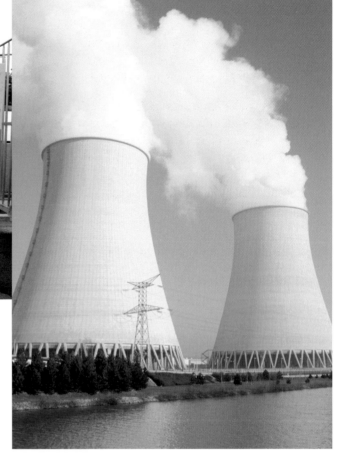

1. Comenta con tu compañero.

¿Cuáles son los problemas medioambientales más importantes en este momento?

¿Crees que los partidos "verdes" son necesarios? ¿Por qué?

2. Contesta el cuestionario y compara tu puntuación final con la de tu compañero.

¿ERES ECOLÓGICAMENTE CORRECTO?

1. ¿Utilizas el transporte público?
a. Sí, pero si puedo voy andando.
b. De vez en cuando.
c. No, prácticamente nunca.

2. ¿Qué opinas de las centrales nucleares?
a. Deberían desaparecer.
b. Deberían mejorar sus medidas de seguridad.
c. Es un tema que no me preocupa.

3. La recogida selectiva de basura es:
a. Algo muy positivo que debe implantarse ampliamente.
b. Una exigencia a la que hay que acostumbrarse.
c. Una actividad inútil a la que me resistiré todo lo que pueda.

4. ¿Qué haces con las pilas gastadas?
a. Las deposito en recipientes preparados para su recogida.
b. Unas veces las dejo en contenedores de pilas y otras veces las tiro a la basura.
c. Las tiro a la basura.

5. ¿Te preocupa la contaminación del planeta?
a. Sí, mucho.
b. Algo, pero no demasiado.
c. Sinceramente, poco.

6. ¿Entregas dinero a alguna organización ecologista?
a. Sí, de forma regular.
b. Alguna pequeña cantidad de vez en cuando.
c. No, nunca.

7. Van a hacer una autopista que altera el paisaje, ¿cuál es tu actitud?
a. De lucha, no se puede permitir.
b. De preocupación.
c. De alegría. Al fin voy a poder moverme con rapidez y comodidad.

PUNTUACIÓN

- Si la mayoría de tus respuestas son **a**, eres un ecologista o casi llegas a serlo. No sólo te preocupas por la naturaleza, sino que participas activamente en su conservación.
- Si la mayoría de tus respuestas son **b**, por lo general respetas el medio ambiente y procuras no contaminar, pero tampoco te esfuerzas en exceso. Claramente podrías hacer mucho más.
- Si la mayoría de tus respuestas son **c**, tu actitud se podría llamar contaminante. Vives de espaldas a la problemática medio-ambiental que te rodea.

ESCUCHAR

3. Vas a oír una entrevista a un miembro de Greenpeace. Antes de escuchar, señala si crees que las siguientes afirmaciones son verdaderas o falsas.

1. Greenpeace es una organización dedicada a la defensa de los emigrantes. ☐
2. Greenpeace es una organización que trabaja sólo en Europa. ☐
3. El objetivo de Greenpeace es cambiar las políticas gubernamentales para proteger el medio ambiente. ☐
4. Los países más ricos colaboran activamente con esta organización. ☐
5. Esta organización necesita ayuda económica de sus socios y colaboradores para poder desarrollar sus campañas. ☐

4. Escucha la entrevista y comprueba tus hipótesis. **22** 🔘

5. Escucha de nuevo y contesta las siguientes preguntas. **22** 🔘

1. ¿Cuál es el objetivo de Greenpeace?
2. ¿Cuál es la mayor preocupación de esta organización?
3. ¿Quiénes deben colaborar para mejorar el futuro del planeta?
4. ¿Existe un apoyo total por parte de la gente hacia esta organización?
5. ¿Cómo se puede colaborar con esta organización?

COMUNICACIÓN

EXPRESAR SENTIMIENTOS Y OPINIONES

- En oraciones dependientes de verbos como *gustar, interesar, molestar, preocupar*, se utiliza infinitivo o subjuntivo.

  - **Infinitivo:** si el sujeto lógico de las dos frases es el mismo.

    *A Rosa no **le gusta usar** el transporte público.*

  - **Subjuntivo:** si el sujeto lógico de las dos frases es diferente.

    *Nos **preocupa que haya** desastres ecológicos.*

6. Forma frases. Hay más de una posibilidad.

1. A Manu le gusta ☐
2. A nosotros nos molesta ☐
3. Me preocupa que ☐
4. A algunos políticos no les preocupa que ☐
5. Me molesta que ☐

    a. ver montones de basura sin reciclar.
    b. llevar los cristales al contenedor.
c. gastes tanta agua. **d.** la gente no sea ecologista.
    e. haya contaminación.
    f. mis hijos vivan en un mundo contaminado.

7. Completa las frases con el verbo en la forma adecuada del subjuntivo.

1. Me molesta que *la gente no cuide* el medio ambiente. (gente, no cuidar)
2. Me preocupa que _____ los problemas medioambientales. (gobierno, no solucionar)
3. Me gusta que _____ campañas sobre el reciclado de basuras. (televisión, hacer)
4. ¿Te importa que me _____ tus papeles al contenedor? (yo, llevar)
5. Me molesta que _____ no _____ con Greenpeace. (los políticos, colaborar)
6. Me preocupa que _____. (no llover)

8. Escribe tus opiniones sobre el futuro del planeta. Utiliza, entre otras, las expresiones del recuadro.

> ● creo que... ● espero que... ● no me importa...
> me preocupa que... ● me molesta que...

1. ¿A lo largo de un día, qué ruidos molestos hay a tu alrededor? Coméntalo con tus compañeros.

2. Lee el texto.

España, un país ruidoso

Nueve millones de españoles viven en un ambiente de contaminación acústica que supera el límite máximo aceptable para la Organización Mundial de la Salud. Sólo en Japón se soportan niveles de ruido más altos que en España.

Antes se creía que las ciudades más desarrolladas eran las que más ruido provocaban. Ahora este concepto ha cambiado y, por eso, es importante que las costumbres cambien. Por ejemplo, en las zonas de ocio y bares, el ruido es muy molesto para las personas que intentan dormir. La OCU (Organización de Consumidores y Usuarios) dice que es necesario que estos locales –bares, cines, restaurantes, etc.– estén bien insonorizados y que se respeten los horarios de cierre. También los ruidos provocados por los servicios de limpieza y recogida de basuras son motivo de queja de muchos vecinos. Por este motivo, la OCU opina que es conveniente que se establezcan recorridos de estos servicios en horarios que no afecten las horas de sueño.

En cuanto al tráfico, esta organización señala la necesidad de fabricar automóviles más silenciosos. Asimismo, es necesario que haya más vías sin tráfico y es conveniente que se instalen pantallas protectoras.

"Hace falta que los ciudadanos tomen conciencia de que hay que denunciar los abusos por ruido", señala Antonio López, portavoz de la OCU. La mayoría de los ciudadanos cree que estas denuncias no sirven de nada y, de hecho, no son muchas las que se presentan. ■

3. Localiza en el texto cuatro palabras relacionadas con la palabra "ruido", y relaciónalas con las siguientes definiciones.

1. Adaptado para no emitir ruidos al exterior: *insonorizados.*

2. Que no hace ruido: _____.

3. Que produce o propaga ruido: _____.

4. Que causa mucho ruido: _____.

4. Vuelve a leer el texto y contesta las siguientes preguntas.

1. ¿Quién marca los niveles aceptables de ruido?
2. ¿Qué países tienen los niveles de ruido más altos?
3. ¿Cómo se puede evitar la contaminación acústica por parte de bares y restaurantes?
4. ¿Cómo se puede evitar la molestia nocturna en los servicios de recogida de basuras?
5. ¿Qué tienen que hacer los habitantes de las ciudades ante el problema del ruido?

HABLAR

5. En grupos de cuatro. ¿Te molestan los ruidos de tu ciudad? Con tus compañeros, elabora una lista de recomendaciones y obligaciones para evitar la contaminación acústica.

Es conveniente que la gente hable más bajo en los bares.
Hay que bajar la música.

COMUNICACIÓN

> ### Expresar obligaciones impersonales, generales
>
> *No hace falta comprar otro coche.*
> *Es necesario cambiar de hábitos.*
> *Hay que fabricar coches menos ruidosos.*
>
> ### Expresar obligaciones de carácter personal
>
> *Es necesario que los vecinos protesten.*
> *No hace falta que pongas la música tan alta.*
>
> ### Expresar valoraciones y recomendaciones
>
> *Es conveniente bajar el volumen de la música.*
> *Es conveniente que tú bajes el volumen de la música.*

6. Completa la conversación con una de las formas estudiadas: *hay que, es necesario que, es importante, (no) hace falta que.*

Hoy es el cumpleaños de Jesús y está organizando una fiesta con sus amigos.

ÁNGELA: ¿Jesús, qué (1) *hay que* hacer?

JESÚS: Lo primero, (2)_____ pongamos la sillas pegadas a las paredes.

DAVID: No olvidéis que (3)_____ traer un equipo de música.

RUBÉN: ¿(4)_____ coloquemos unas mesas para las bebidas?

JESÚS: No, (5)_____ dejar sitio para las dos neveras. Y no olvidéis que (6)_____ quede todo preparado para las seis de la tarde. (7)_____ terminar la fiesta antes de las doce de la noche para que los vecinos no protesten.

7. Completa las frases con *hay que, no hay que o es necesario que, no es necesario que, (no) es conveniente que.*

1. *Es conveniente que* la gente hable mas bajo en los bares

2. _____ poner la música muy alta después de las doce de la noche.

3. _____ tener cuidado para no molestar a los vecinos.

4. _____ que compremos refrescos; no tenemos suficientes.

5. _____ que avisemos a Juan. Ya sabe la hora de la fiesta.

6. _____ denunciar a los locales que no cumplan sus horarios.

7. _____ poner el bozal al perro para que no ladre.

8. _____ cojas el coche para ir al centro. Puedes ir en autobús.

PRONUNCIACIÓN Y ORTOGRAFÍA

> ### QU, Z, C
>
> /K/ que, qui,
> ca, co, cu
> *cama, cuatro, quién*
>
> /θ/ za, zo, zu,
> ce, ci
> *azul, cine, hace*

1. Completa las frases con *qu, z y c.*

1. Es conveniente ____e los bares __ierren a las on__e.

2. En las __onas de o__io hay mucho ruido.

3. Di__en ____e van a fabri__ar __oches más silen__iosos.

4. Greenpeace es una organi__a__ión dedi__ada a defender la naturale__a.

5. Las denun__ias que ha__en los ve__inos son inútiles.

2. Escucha y comprueba. **23**

c. La ecologista keniana

1. ¿Has oído hablar de Wangari Maathai?

2. Lee el texto y señala si son verdaderas o falsas las afirmaciones.

Wangari Maathai

La ecologista keniana Wangari Maathai recibió en octubre de 2004 el Premio Nobel de la Paz por su contribución al desarrollo sostenible, la democracia y la paz.

Maathai se licenció en Biología en Estados Unidos y fue la primera mujer en obtener un doctorado en toda África central y oriental. En 1997, Maathai fue candidata a la presidencia de Kenia, pero su partido retiró su candidatura días antes de las elecciones.

Maathai es fundadora del movimiento Cinturón Verde, la organización ecologista más importante de África. Esta organización lleva a miles de kenianos que viven en la pobreza la idea de que plantar árboles mejorará sus vidas, las de sus hijos y las de sus nietos. El grupo está formado sobre todo por mujeres. Maathai dijo en una entrevista reciente: "Nuestro objetivo más importante es conseguir que nuestros hijos no mueran de hambre. Para ello, entre otras muchas cosas, en estos últimos años hemos plantado unos 30 millones de árboles y hemos abierto 5.000 guarderías".

El Premio Nobel de la Paz, que está dotado con 1,1 millones de euros, será destinado a trabajar a favor del medio ambiente. Cuando recibió el premio, Maathai declaró: "Sabía que nuestro trabajo era importante, pero nunca pensé que tendría un reconocimiento tan grande como éste".

1. En el movimiento Cinturón Verde hay igual número de mujeres que de hombres. **F**

2. La vida de los pobres será mejor si se plantan más árboles. ☐

3. "No hay ningún objetivo más importante que acabar con el hambre de nuestros hijos". ☐

4. Gracias a los proyectos del Cinturón Verde, se han plantado más de veinte millones de árboles. ☐

5. El dinero recibido por el Premio Nobel se invertirá en trabajo ecologista. ☐

6. Maathai nunca ha salido de su país en África. ☐

VOCABULARIO

3. Completa las frases con el vocabulario del recuadro.

> cordillera – mar – continente – océano
> desierto – selva – río – país – isla – cañón

1. El Nilo es un *río*.
2. El Pacífico es un _____.
3. Los Alpes son una _____.
4. Turquía es un _____.
5. El Sahara es un _____.
6. El Mediterráneo es un _____.

7. Australia es un _____.

8. La Amazonía es una _____.

9. Asia es un _____.

10. El Colorado es un _____.

GRAMÁTICA

COMPARATIVOS

● **Comparación con adjetivos**

Superioridad: **más** + adjetivo + **que**
Inferioridad: **menos** + adjetivo + **que**
Igualdad: **tan** + adjetivo + **como**

*Esta organización ecologista es **más importante** que la otra.*

● **Comparación con nombres**

Superioridad: **más** + nombre + **que**
Inferioridad: **menos** + nombre + **que**
Igualdad: **tanto/a/os/as** + nombre + **como**

*Antes no había **tantas guarderías como** ahora.*

● **Comparación con verbos**

Superioridad: verbo + **más que**
Inferioridad: verbo + **menos que**
Igualdad: verbo + **tanto como**

*Ella **estudió más que** sus compañeros.*

● **Comparativos irregulares**

grande	➤	mayor
pequeño	➤	menor
bueno	➤	mejor
malo	➤	peor

4. Completa las siguientes frases con el comparativo correspondiente.

1. Cada día trabajo más. Este año trabajo *más* horas que el año pasado.

2. Este año hay sequía. Ha llovido _____ _____ el año pasado.

3. Las temperaturas son muy altas. Esta primavera hace _____ calor _____ los dos últimos años.

4. La energía solar es _____ contaminante _____ la energía nuclear.

5. Mis vecinos son igual de ruidosos: el de la derecha hace _____ ruido _____ el de la izquierda.

6. La cantidad de contaminación es _____ en las ciudades _____ en el campo.

7. En muchos países, las mujeres están discriminadas. Con iguales trabajos, ellas ganan _____ _____ los hombres.

8. Se han talado muchos árboles en la Amazonía. Ahora no hay _____ árboles _____ antes.

SUPERLATIVOS

*China es el país **más poblado del mundo**.*

*El Premio Nobel de la Paz es un premio **importantísimo**.*

*Venezuela es **el mayor exportador** de petróleo del continente americano.*

5. Pon el adjetivo entre paréntesis en la forma más adecuada (comparativo o superlativo).

1. Es la historia *más* increíble que nunca he oído. (increíble)

2. Etiopía es uno de los países _____ del mundo. (lluvioso)

3. La capa de ozono cada día está _____. (dañada)

4. Noruega es _____ como Suecia. (fría)

5. Los países del Tercer Mundo tienen el _____ índice de mortalidad infantil. (grande)

6. El español es una de las lenguas _____ en el mundo. (habladas)

7. Europa es _____ África. (pequeña)

8. El río Nilo es el _____ largo del mundo. Es _____.

9. El calentamiento de la tierra es uno de los _____ desastres naturales. (malo)

10. Ante la situación actual lo _____ es apoyar a una asociación ecologista. (bueno)

6
C

D. Escribe

CARTAS AL DIRECTOR

1. ¿Para qué se escriben cartas al director? Señala las funciones más adecuadas.

- Para dar una opinión sobre un tema actual.
- Para expresar rabia, dolor, sorpresa ante un acontecimiento…
- Para informar de un nacimiento, una boda…
- Para agradecer algo a alguien.
- Para corregir una información.
- Para contestar a otra carta.
- Para felicitar a alguien en su cumpleaños.

2. En las siguientes cartas señala qué expresa el autor.

CONTAMINACIÓN ACÚSTICA

Acabo de llegar de unas vacaciones en Alemania, en donde, a pesar de una población mayor y un tráfico más denso que en España, disfruté de un verdadero descanso acústico. Los ruidos de mi ciudad, Sevilla, me parecen ahora más fuertes que nunca.

En mi opinión, una de las causas mayores de esta contaminación son las motos con libre escape, un fenómeno desconocido o sancionado en otros países más concienciados. Este ruido desagradable obliga a cortar conversaciones, molesta en la realización de trabajos e impide dormir.

Es por esto que escribo esta carta, para agradecerles la publicación del artículo del domingo pasado, en el que se trataba el problema del ruido en nuestras ciudades, esperando que todos nos concienciemos de la necesidad de controlar nuestros ruidos.

CARMEN SÁNCHEZ - SEVILLA

MI BARRIO

Señor alcalde, quiero contarle el porqué de mi pena, rabia e indignación. Hace unos años mi barrio era normal, con gente normal, con las ventajas y los inconvenientes de un barrio céntrico de Madrid.

Últimamente cada vez está peor. Las calles que antes estaban llenas de comercios hoy se han convertido en unas calles sucias y con aceras intransitables. Algunas veces siento náuseas cuando voy por la calle o cojo el metro para ir a trabajar.

Señor alcalde, qué pena de mi ciudad. Haga el favor de quitarle a Madrid el título de la ciudad más sucia de España.

ISABEL MARTÍNEZ - MADRID

3. Ordena los párrafos de la siguiente carta. Después completa el párrafo D expresando tu opinión sobre el tema.

A. ☐
Pero es que además su columna es muy peligrosa por lo que significa de apología del maltrato a los niños.

B. 1
Estoy sorprendido después de haber leído su columna del lunes sobre el cachete a los niños.

C. ☐
Su argumentación es penosa porque hace ya muchos años que se demostró que la violencia física contra los niños genera un enorme sufrimiento y puede dejar graves daños.

D. ☐
Trabajo como... (psiquiatra infantil, ama de casa, profesor...) y opino que...

De acá y de allá

MARAVILLAS DEL MUNDO

1. ¿Existe en tu país alguna maravilla del mundo? ¿Has visto alguna? Cuenta a tus compañeros cuándo la viste.

2. Lee el texto y señala si las afirmaciones son verdaderas o falsas.

LAS MARAVILLAS DEL MUNDO MODERNO
De las siete maravillas del mundo antiguo
hoy solamente quedan en pie las Pirámides de Egipto.

A propuesta de Bernard Weber, famoso cineasta suizo, se está realizando un referéndum a través de Internet para escoger las seis maravillas que deben sustituir a las seis desaparecidas. Hasta ahora han votado más de 17 millones de personas. Entre las más famosas están el Gran Cañón del Colorado, la Muralla China y los Guerreros de Xián.

LA GRAN MURALLA CHINA

Es una antigua fortificación construida para proteger al Imperio Chino de los ataques mongoles. Se empezó a construir en el siglo III. El principal propósito del muro no era impedir que pasaran los soldados, sino impedir que entraran los caballos. La muralla es extraordinariamente larga, con 6.400 km desde la frontera con Corea hasta el desierto de Gobi.

GRAN CAÑÓN DEL COLORADO

Para todos los amantes de la naturaleza ésta es una visita obligada. El Gran Cañón se puede visitar de muchas formas. Hay empresas que organizan visitas en avioneta o helicóptero para conocerlo desde las alturas. También se puede llegar a él en el ferrocarril del Gran Cañón, que va hacia el norte. Algunos excursionistas experimentados realizan una ruta por el interior, para ir de un extremo a otro. Es interesante visitar los pueblos de los que parten las diferentes rutas hacia el Cañón.

LOS GUERREROS DE XIÁN

La gran joya de Xián es su fabuloso ejército de terracota del emperador Qin con 2.000 años de antigüedad. Se han encontrado tres fosas diferentes. La primera contiene más de 6.000 soldados; en la segunda encontramos carros y jinetes con sus monturas, arqueros, etc.; y en la tercera se encuentran las esculturas que representan al Estado Mayor del ejército. También puede visitarse una sala donde se halla un espectacular carruaje de bronce.

1. Bernard Weber está haciendo un estudio sobre las maravillas del mundo antiguo. ☑

2. Ninguna de las maravillas del mundo antiguo ha sobrevivido. ☐

3. En Internet se está llevando a cabo una votación sobre las maravillas del mundo. ☐

4. Los Guerreros de Xián no están entre las maravillas más votadas. ☐

5. El Gran Cañón se puede visitar por tierra y por aire. ☐

6. La función más importante de la Muralla China era evitar la entrada de la caballería enemiga. ☐

7. Los Guerreros de Xián son más antiguos que la Muralla. ☐

E. Autoevaluación

1. Completa las frases con el verbo entre paréntesis.

1. Me preocupa que mi hijo *no quiera* seguir estudiando. (no querer)

2. ¿Te molesta que _____ el volumen de la tele? (subir, yo)

3. Me molesta que mis hijos _____ en las tareas de la casa. (no ayudar)

4. A mi madre le gusta que _____ reuniones familiares. (nosotros, hacer)

5. Espero que _____ una casa que no sea muy cara. (ellos, encontrar)

6. No entendemos que _____ tan difícil encontrar ayuda. (ser)

7. ¿No te preocupa que el problema _____ solución? (no tener)

8. ¿Te importa que _____ primero a recoger los paquetes? (ir, nosotros)

9. Me molesta que los vecinos _____ la música tan alta. (poner)

10. A ellos no les preocupa en absoluto lo que _____ los demás. (pensar)

2. Completa las frases con las palabras del recuadro.

> insonorizada – ruidosa – acústica
> ruido – silenciosa

1. La cultura española es una cultura *ruidosa.*

2. El 80% del _____ lo produce el tráfico.

3. El Tribunal Supremo condenó al propietario de una discoteca por no tenerla _____.

4. En España, los ciudadanos no dan demasiada importancia a la contaminación _____.

5. Zaragoza es más _____ que Valencia.

3. Completa las frases con el verbo en su forma correcta.

1. Es necesario que *vayamos* unidos. (ir, nosotros)

2. Es conveniente que _____ temprano para ir a la reunión. (levantarse, tú)

3. Hay que _____ paciencia con los niños. (tener)

4. Es importante que todo _____ preparado para la hora de la reunión. (estar)

5. No funciona el ordenador. Hay que _____ al técnico. (llamar)

6. Es conveniente que _____ usted de fumar. (dejar)

7. Hay que _____ que cumplan los objetivos. (conseguir)

8. Es necesario que _____ la corbata para hacer la entrevista. (ponerse, tú)

9. Es importante que _____ este libro antes del examen. (leer, vosotros)

10. Hay que _____ el proyecto antes del jueves. (terminar)

4. Relaciona las descripciones con cada uno de los nombres del recuadro.

> Nilo – Pacífico – Alpes
> Sahara – Australia – Amazonía

1. La cordillera más alta de Europa. *Alpes.*

2. El río más largo del mundo. _____.

3. La isla más grande del mundo. _____.

4. El océano más extenso del mundo. _____.

5. El desierto más grande del mundo. _____.

6. La selva más grande del planeta. _____.

5. Completa las frases con las partículas comparativas correspondientes.

1. Esta es pequeña. Necesito una *más* grande.

2. En las ciudades la contaminación no mejora. Está cada vez _____.

3. Este trabajo no está muy bien. Otras veces te ha salido _____.

4. Ana es más joven. Es _____ que su hermana.

5. Tú trabajas más que yo. Yo no trabajo _____ horas como tú.

6. Madrid tiene _____ habitantes como Barcelona.

7. Begoña no está _____ delgada como Susana.

8. Ahora es más caro comprarse una vivienda _____ antes.

9. Estos zapatos son muy malos. Me gustaría comprarme unos _____.

10. Hago más deporte que Ángel. Estoy _____ en forma que él.

6
E

6. ¿Por qué vienen los turistas a España de vacaciones?
Utiliza comparativos de superioridad y de inferioridad.

1. (tiempo / + bueno)
   Porque el tiempo es mejor que en sus países.
2. (comida y bebida / + baratas)

   _____

3. (vida nocturna / + animada)

   _____

4. (los hoteles / - caros)

   _____

5. (playas / + buenas)

   _____

6. (el precio de la gasolina / + bueno)

   _____

7. (la contaminación en sus ciudades / + mala)

   _____

7. Lee el artículo de prensa y señala si las siguientes
afirmaciones son verdaderas o falsas.

La SEQUÍA afecta a media ESPAÑA

Los cortes de agua, que ya sufren más de cien pueblos y ciudades, se extenderán si sigue sin llover.

La sequía comienza a producir víctimas. Desde Huesca a Granada, desde Madrid a Cataluña, media España se prepara para sufrir la falta de agua si sigue sin llover. Más de un centenar de pueblos sufren ya problemas con el agua; se han ordenado cortes en el suministro y, en algunos casos, dependen de camiones de reparto. Los agricultores han perdido cosechas enteras que no han recogido, y muchos no saben si deben plantar para la próxima temporada. El último año ha sido el más seco desde que en 1947 comenzaron a registrarse las lluvias en España, y no hay sistemas fiables para saber si en los próximos tres meses lloverá. La situación es delicada y puede resultar dramática. Las últimas sequías duraron entre cuatro y seis años, aunque no todos los años fueron tan secos como el pasado.

RAFAEL MÉNDEZ, *El País*

1. Sólo unas pocas ciudades sufren cortes de agua. [F]
2. Muchos agricultores no han recogido sus cosechas. ☐
3. El último año ha sido el más seco desde que se realizan mediciones de las lluvias. ☐
4. Los últimos estudios aseguran que lloverá en los próximos tres meses. ☐
5. Las sequías no suelen durar más de dos años. ☐

 *Soy capaz de…*

☐☐☐ *Opinar sobre los problemas del medio ambiente.*

☐☐☐ *Expresar obligación y necesidad.*

☐☐☐ *Hacer valoraciones y recomendaciones. Comparar.*

☐☐☐ *Escribir una carta al director de un periódico.*

A. Un buen trabajo

1. ¿Cuál crees que es el trabajo ideal? En la lista siguiente, señala las características de un buen trabajo. Luego piensa en una profesión que las reúna y coméntalo con tus compañeros.

a. Se gana mucho. ☐
b. Se tienen muchas vacaciones. ☐
c. Hay que hablar con gente. ☐
d. Se trabaja solo. ☐
e. Se trabaja de noche. ☐
f. Hay que viajar. ☐
g. Hay que hablar idiomas. ☐
h. Se trabaja con las manos. ☐
i. No hay que estudiar mucho. ☐
j. Se trabaja al aire libre. ☐
k. Hay que trabajar en equipo. ☐
l. Tiene un buen horario. ☐

Yo creo que el trabajo ideal es el de… porque…

2. Mira las imágenes y completa la tabla con los nombres de los profesionales que aparecen. Añade otros nombres. ¿Cuál es la forma femenina de cada nombre?

MASCULINO	FEMENINO
el futbolista	*la futbolista*

HABLAR

3. Piensa en alguien que trabaja (puede ser de tu familia o un amigo). Responde a estas preguntas sobre el trabajo que hace. Luego habla con tu compañero sobre él o ella.

- ¿Qué profesión tiene? • ¿Dónde trabaja?
- ¿En qué consiste su trabajo?
- Condiciones: horario, sueldo, vacaciones.
- Opinión personal: aspectos positivos y aspectos negativos.

A. *Te voy a hablar de mi amigo Alex.*
B. *¿A qué se dedica?*
A. *Es fontanero…*

ESCUCHAR

4. Las ETT (Empresas de Trabajo Temporal) son agencias intermediarias entre las empresas que necesitan trabajadores y las personas que buscan un trabajo. A continuación, dos jóvenes cuentan su experiencia de "trabajadores temporales". Escucha a cada uno de ellos y responde a las preguntas. **24** 🎧

A. 1. ¿Cuánto tiempo lleva Fernando trabajando en la tienda del aeropuerto?

2. ¿Qué trabajo hace?

3. ¿Qué horario de trabajo tiene?

4. ¿Qué es lo que le parece positivo del funcionamiento de la ETT?

5. ¿Cuál es la parte negativa del funcionamiento de la ETT?

6. ¿Cómo era su trabajo anterior?

B. 1. ¿Qué trabajo realiza Marta?

2. ¿Qué horario tiene?

3. ¿Qué trabajo le ofrecieron en primer lugar?

4. ¿Cuál es el aspecto negativo, según Marta, de la ETT?

5. ¿Qué es lo que le gusta de las ETT?

5. Completa el párrafo siguiente con las palabras del recuadro. Sobran dos.

> paro (x 2) – contrato – horario – sueldo
> anuncio – empresa – currículo – despidieron
> extras – firmar – entrevista – fijo

Víctor estaba en (1) *paro* y se puso a buscar trabajo. Leyó en el periódico un (2)_____ en que pedían un diseñador gráfico y envió su (3)_____. Dos días después le llamaron para hacerle una (4)_____. En la sala de espera había otras seis personas para el mismo puesto, pero él no se desanimó, salió contento de la entrevista.
A los pocos días le llamaron para (5)_____ un (6)_____ temporal de seis meses y al día siguiente empezó a trabajar. Al principio tenía que hacer horas (7)_____, pero estaba contento porque el (8)_____ era muy bueno. Él pensaba que después de los seis meses firmaría otro contrato (9)_____. Pero no fue así. Al terminar el contrato, lo (10)_____ y se quedó otra vez en (11)_____.

LEER

6. Lee y responde a las preguntas.

1. ¿En qué anuncio piden más experiencia?

2. En qué trabajo será necesario viajar?

3. ¿En qué trabajo exigen conocimientos de informática?

Necesitamos un/a
ADMINISTRATIVO/A
Realizará funciones de contabilidad, apoyo a secretaria de dirección general y dirección financiera.

SE EXIGE:
✦ Nivel alto de Office, Excel y Word. ✦ Experiencia mínima demostrable de 2 años. ✦ Persona trabajadora, dinámica, metódica y con capacidad de trabajo en equipo.

✍ CALLE SIDERURGIA, 10, 28108 ALCOBENDAS, MADRID.

AGENCIA DE COMUNICACIÓN
PRECISA:
5 REPORTEROS

• Con disponibilidad para viajar.
• Interesados, enviar CV para entrevista.

E-mail:
jmlopez@eldiario.com

ANESTESISTA
CLÍNICA PRIVADA SELECCIONA UN ANESTESISTA PARA SU DEPARTAMENTO DE ANESTESIA Y REANIMACIÓN.

➠ **Se requiere experiencia de 1 año mínimo.**

Enviar *curriculum* a:
rrhh@clinicasalud.es

B. Cuando pueda, cambiaré de trabajo

1. Vas a leer una columna del periódico que habla sobre el teletrabajo. Antes de leerla, señala si estás de acuerdo (V) o no (X) con las siguientes afirmaciones.

a. Trabajar en casa es más cómodo porque no tienes que sufrir los problemas del tráfico. ☐

b. Los medios de comunicación modernos nos hacen la vida más cómoda. ☐

c. Los medios de comunicación modernos nos permiten una mayor comunicación personal. ☐

d. El teletrabajo puede llevar a la soledad y a la depresión. ☐

2. Lee el texto y comprueba tus hipótesis.

3. Relaciona estas palabras con su significado.

1. humano	a. crecimiento
2. aparato	b. desventajas
3. aumento	c. elegir
4. insoportable	d. máquina
5. rumor	e. de las personas
6. inconvenientes	f. de la mente
7. optar	g. no se puede soportar
8. mental	h. ruido confuso

EL TELETRABAJO

HACE UNA SEMANA, estaba en casa escribiendo mi artículo semanal para este periódico, cuando llamaron a la puerta. Abrí y me encontré con mi amiga Ángela, a quien no veía personalmente desde hacía dos años. Aunque estamos en permanente comunicación a través del móvil y del correo, lo cierto es que en los dos últimos años no hemos encontrado ni una tarde libre para quedar a tomar un café o ver una película en el cine.

Mi amiga tenía mala cara, entró y lo primero que dijo fue: "tienes que ayudarme a encontrar un trabajo en una empresa, no puedo seguir trabajando sola, en casa". "Yo pensaba que estabas contenta de trabajar en casa, sin necesidad de coger el coche o el autobús ni de soportar el mal humor del jefe", le dije yo.

"Bueno, sí, al principio me gustaba. No tenía que madrugar ni tomar el metro lleno de gente. Mientras trabajaba, escuchaba música, veía vídeos y charlaba por Internet. También me llamaba alguna gente por teléfono. Pero ahora este tipo de vida me resulta insoportable. En la casa sólo se oye el rumor del ordenador, del equipo de música y de otros aparatos. Ni una voz humana. La verdad es que me siento muy sola, ni siquiera voy a la compra porque la hago por Internet y me la traen a casa".

"¿Pero no chateas o hablas por Internet?".

"Sí, claro, tengo un montón de conocidos a los que veo en la pantalla, que me envían chistes y recetas de cocina, comentamos las noticias... Pero lo que yo quiero es hablar con personas de carne y hueso, no con una máquina".

Mi amiga Ángela es una de las miles de personas en todo el mundo que han optado por una nueva forma de trabajo que le permite quedarse en casa sin someterse a horarios ni a los inconvenientes del tráfico o de los cambios de humor de unos compañeros de trabajo. También tiene la ventaja de que el trabajador puede vivir donde quiera, por ejemplo, en el campo, con una buena calidad de vida. Como contrapartida, este tipo de trabajo puede conducir al aislamiento y la sole-

dad, debido a la falta de contacto humano y de intercambio de ideas con los compañeros. Es obvio que el contacto real (no sólo a través de las máquinas) con los demás es necesario para una buena salud mental. Parece contradictorio que cuanto más comunicados estamos a través de la tecnología, más alejados estamos en la realidad unos de otros.

Para despedirse, Ángela me pidió ayuda para encontrar un trabajo en una oficina.

"No te preocupes, cuando sepa algo te avisaré", le prometí. ■

4. Señala *V* o *F*. Corrige las afirmaciones falsas.

1. La autora del artículo no se comunicaba con su amiga desde hacía dos años. ☐
2. Ángela está harta de trabajar en casa. ☐
3. Ángela no se comunica por Internet. ☐
4. Ángela no tiene que soportar a sus compañeros de trabajo. ☐
5. El teletrabajo tiene algunas ventajas. ☐
6. El teletrabajo puede llevar a la depresión. ☐
7. El contacto humano es necesario para todos. ☐

HABLAR

5. Elabora con tu compañero una lista de las ventajas y desventajas del teletrabajo.

Ventajas	Desventajas
No hay que madrugar	

6. Comenta el artículo con tus compañeros. ¿Te gustaría trabajar en esas condiciones? ¿Por qué?

GRAMÁTICA

ORACIONES TEMPORALES CON CUANDO

- En las oraciones subordinadas temporales con cuando se utiliza el indicativo:

  ‣ Cuando hablamos del pasado.
    *Cuando **abrí** la puerta me encontré con Ángela.*

  ‣ Cuando hablamos en presente.
    *Todos los días, cuando **me levanto**, lo primero que **hago** es encender el ordenador.*

- Se utiliza subjuntivo:

  ‣ Cuando hablamos del futuro.
    *Cuando **sepa** algo, te **avisaré**.*
    *Tráeme el informe cuando lo **termines**.*

- En el caso de las oraciones interrogativas en futuro se utiliza el verbo en el tiempo futuro:
  *¿Cuándo **empezarás** / **vas a empezar** tu trabajo?*

7. Forma frases, como en el ejemplo. Compara con tu compañero.

1. Llamar a Rosa / llegar a casa.
   Llamaré a Rosa cuando llegue a casa.
2. Ir a verte / ir a Valencia.
3. Poner la tele / terminar este trabajo.
4. Salir de compras / el jefe pagar (a mí).
5. Comprar un piso / tener un trabajo fijo.
6. Volver a mi pueblo / tener vacaciones.

8. Subraya el verbo adecuado.

1. Cuando *sea* / *seré* mayor seré bombero.
2. Cuando *tendré* / *tenga* tiempo le escribiré un correo electrónico a Javier.
3. Los viernes cuando *salimos* / *salgamos* de la oficina nos vamos a tomar un aperitivo al bar de al lado.
4. David, manda este documento por fax cuando *puedes* / *puedas*.
5. Cuando *trabajaba* / *trabaje* en la otra empresa, el jefe no nos permitía chatear por Internet.
6. Cuando Miguel *llevaba* / *lleve* tres meses en la empresa le subieron el sueldo y le hicieron un contrato fijo.
7. Cuando *tienes* / *tengas* más experiencia en este trabajo, te subiré el sueldo.
8. Cuando *terminaré* / *termine* este curso voy a hacer un "máster" de relaciones laborales.

HABLAR

9. Responde a estas preguntas y luego intercambia las preguntas y respuestas con tu compañero. Responde siempre con *cuando* + subjuntivo.

1. ¿Cuándo vas a ir otra vez al cine?
   Cuando haya una película interesante.
2. ¿Cuándo vas a hacer la redacción de español?
3. ¿Cuándo vas a llamar por teléfono a tus padres?
4. ¿Cuándo vas a ordenar tu dormitorio?
5. ¿Cuándo vas a ir a España?
6. ¿Cuándo vas a devolver los libros a la biblioteca?

7 B

c. Si tuviera dinero..

1. En parejas, pregunta y responde a tu compañero.

¿ERES HONRADO?

¿Qué harías si...

1. ... encontraras una cartera con 6.000 € en un taxi?
   a) Se la daría al taxista. ☐
   b) Me la quedaría. ☐

2. ... en una tienda, el dependiente te devolviera más dinero del adecuado?
   a) Se lo diría. ☐
   b) No diría nada. ☐

3. ... en el hotel donde te alojas hubiera unas toallas maravillosas?
   a) Me llevaría una. ☐
   b) Las dejaría. ☐

4. ... vieras al novio de tu amiga con otra chica?
   a) Se lo diría a mi amiga. ☐
   b) No le diría nada. ☐

GRAMÁTICA

ORACIONES CONDICIONALES

*Si yo **encontrara** una cartera con 6.000 € en un taxi, se la **daría** al taxista.*

*Si yo **encontrara** una cartera con 6.000 € en un taxi, me la **quedaría.***

- Usamos esta estructura cuando hablamos de condiciones poco probables o imposibles de cumplir. En el ejemplo, es casi imposible que yo encuentre una cartera en un taxi, pero puedo imaginarlo.

- La oración que empieza por *Si* lleva el verbo en pretérito imperfecto de subjuntivo. El verbo de la otra oración va en forma condicional.

PRETÉRITO IMPERFECTO DE SUBJUNTIVO

REGULARES

Hablar	Comer	Vivir
hablara	comiera	viviera
hablaras	comieras	vivieras
hablara	comiera	viviera
habláramos	comiéramos	viviéramos
hablarais	comierais	vivierais
hablaran	comiera	vivieran

IRREGULARES

- Generalmente tienen la misma irregularidad que el pretérito indefinido.

Decir: *dijera, dijeras, dijera, dijéramos...*
Estar: *estuviera, estuvieras, estuviera, estuviéramos...*
Hacer: *hiciera, hicieras, hiciera, hiciéramos...*
Ir / Ser: *fuera, fueras, fuera, fuéramos...*

2. Relaciona.

1. Si me subieran el sueldo,　　　　　f

2. Si yo hablara bien inglés,　　　　☐

3. Óscar no trabajaría ahí　　　　　☐

4. Si Luisa supiera informática,　　　☐

5. Saldría más　　　　　　　　　☐

6. Roberto estudiaría Medicina　　　☐

　　　　a. si no tuviera que estudiar.

　　b. podría entrar a trabajar en mi empresa.

　　　　　c. si tuviera otro trabajo mejor.

　　　d. me iría a una empresa multinacional.

　　　　　e. si tuviera mejores notas.

　　　　　f. me cambiaría de piso.

3. En las oraciones condicionales anteriores, subraya los verbos que aparecen en pretérito imperfecto de subjuntivo.

4. Escribe las formas correspondientes de pretérito imperfecto de subjuntivo de los siguientes verbos.

1. VIVIR, ellos *vivieran.*
2. SER, nosotros _____.
3. TENER, yo _____.
4. PONER, él _____.
5. ESTAR, ellos _____.
6. VER, yo _____.
7. VENIR, tú _____.
8. LEER, Vds. _____.

5. Completa las frases con el verbo en la forma adecuada.

1. Si no *tuviera* tanto trabajo, _____ más a menudo a ver a mis padres. (tener, ir)

2. Si mi novio _____ rico, (nosotros) _____ el mes próximo. (ser, casarse)

3. Si los jóvenes _____ más libros y _____ menos la tele, _____ más cultos. (leer, ver, ser)

4. Si _____ más, _____ unas verduras. (llover, plantar)

5. Si mi marido _____ más joven, _____ una nueva carrera en la universidad. (ser, empezar)

6. Si _____, yo me _____ de vacaciones contigo. (poder, ir)

7. Si tú _____, (nosotros) _____ un crucero por el Mediterráneo. (querer; hacer)

6. ¿Qué harías en las siguientes situaciones?

1. Tú eres Ministro de Educación.
   Si yo fuera Ministro de Educación prohibiría las películas violentas en la televisión.
2. Tienes un millón de euros.
3. Eres actor/actriz.
4. Puedes vivir donde quieras.
5. Un/a hombre/mujer rico te pide que te cases con él.
6. Encuentras al Presidente del Gobierno en una fiesta.

7. Completa las frases.

1. Si no existieran los móviles…
2. Si el vino fuera gratis…
3. Si yo viviera en París…
4. Si la gente fuera más solidaria…

PRONUNCIACIÓN Y ORTOGRAFÍA

ACENTUACIÓN: ¿FUTURO O PRETÉRITO IMPERFECTO?

1. Escucha las frases y subraya la sílaba tónica en el verbo. Escribe la tilde donde corresponda. **25** 🔘

1. Si no *estuviera* cansada iría a verte esta tarde.
2. María *estara* en casa a las ocho.
3. Luis *terminara* el informe mañana.
4. Elena te llamaría si tú *fueras* más amable con ella.
5. Si tú *hablaras* con Pablo, quizás dejaría de fumar.
6. Mañana *vendran* tus abuelos.
7. Si *vinieras* a casa en Navidad, tus abuelos se alegrarían mucho.

2. Escucha otra vez, repite y comprueba. **25** 🔘

3. Escucha los verbos y escríbelos en la columna correspondiente. Atiende a la sílaba tónica. **26** 🔘

FUTURO	PRETÉRITO IMPERFECTO SUBJ.
beberá	*lloviera*

4. Escucha otra vez y repite. **26** 🔘

5. Escribe algunas frases con estos verbos y díctaselas a tu compañero.

D. Escribe

CARTA DE SOLICITUD DE TRABAJO

1. Lee el anuncio.

HOTEL★★★★ necesita:
RECEPCIONISTA

✓ Edad mínima 21 años.
✓ Imprescindible: inglés y alemán.
✓ Buen carácter.
✓ Se valorará experiencia en el
   mismo puesto.

Enviar *curriculum vitae* a:
NOVOTEL OLIVA
c/ Miró, 12
03700 - Denia (ALICANTE)

---

2. Contesta las preguntas.

¿En qué consiste el trabajo de recepcionista?

¿Qué condiciones crees que debe reunir un buen recepcionista?

3. Para solicitar este trabajo, Marta ha escrito una carta de presentación. Léela y contesta las preguntas.

a. ¿Es una carta formal o informal?
b. ¿Cómo se dirige al destinatario?
c. ¿Cómo se despide?

4. Ordena el contenido.

➡ Decir dónde se ha visto
   el anuncio.   ☐

➡ Razones para solicitar el puesto. ☐

➡ Información personal y
   profesional relevante.   ☐

➡ Fecha.   ☐ 1

➡ Firma.   ☐

➡ Despedida.   ☐

Córdoba,
12 de enero de 2006

Muy señores míos:

Les escribo por el anuncio aparecido el pasado fin de semana en el diario *EL PAÍS*.

Tengo 25 años. Terminé mis estudios de técnico en turismo en la Escuela de Turismo de Granada en 2001. Luego realicé las prácticas en una agencia turística de Granada. Desde hace dos años trabajo como guía turística realizando viajes por toda Europa, por tanto, tengo experiencia en contacto con la gente.

Me gustaría trabajar con ustedes porque creo que el puesto de recepcionista puede ser una oportunidad muy interesante para mí, y me permitiría conocer otro aspecto del turismo que no he visto hasta ahora.

Les envío mi *curriculum vitae* con la esperanza de ver atendida mi solicitud.

En espera de sus noticias, se despide
atentamente,

MARTA PÉREZ GARCÍA

5. Elige un anuncio de la página 67 y escribe una carta de solicitud de trabajo.

7
D

De acá y de allá

REFRANES

1. En todas las lenguas existen proverbios, fragmentos de sabiduría popular. Aquí tienes algunos del refranero español. Léelos y relaciónalos con su explicación.

1 A quien madruga Dios le ayuda. `e`

2. A CABALLO REGALADO NO LE MIRES EL DIENTE. ☐

3. En boca cerrada no entran moscas. ☐

4. CUANDO EL RÍO SUENA, AGUA LLEVA. ☐

5. Más vale pájaro en mano que ciento volando. ☐

6. Mucho ruido y pocas nueces. ☐

7. Quien mal anda, mal acaba. ☐

8. CONTIGO, PAN Y CEBOLLA. ☐

a. Cuando hay rumores de un acontecimiento es que hay algo de verdad.
b. Hay que ser realista y aceptar lo que se tiene, sin esperar lo inalcanzable.
c. Algo que se había presentado como muy importante (con ruido), resulta que no tiene ninguna importancia.
d. Cuando dos personas están muy enamoradas no necesitan dinero, se conforman con poco.
e. Las personas trabajadoras (madrugadoras) tienen suerte y consiguen sus objetivos.
f. No hay que despreciar nada de lo que nos regalen.
g. Las personas que no siguen el camino correcto moralmente acabarán su vida de mala manera.
h. No se debe hablar demasiado para no cometer errores.

2. Con tus compañeros, piensa cuál es la equivalencia de estos refranes en tu lengua.

3. ¿Estás de acuerdo con la filosofía que encierran? Coméntalo con tus compañeros y tu profesor/a.

7 D

E. Autoevaluación

1. Completa la tabla.

MASCULINO	FEMENINO
el policía	la policía
el abogado	
	la peluquera
	la jardinera
el dependiente	
	la pianista
	la bailarina
	la jueza
el enfermero	
el médico	

2. Completa los microdiálogos con las palabras correspondientes.

1. A. Buenos días, llamo por el *anuncio* del periódico donde piden un camarero.
   B. Sí, aquí es, ¿tienes _____?
   A. Sí, trabajé dos años en un restaurante de la Costa Brava.

2. A. ¿Qué tal el nuevo trabajo?
   B. Regular, no estoy contento porque trabajo mucho y _____ poco dinero.

3. A. Hola, Elena, ¿qué tal te va?
   B. Bueno, regular. Yo estoy bien, pero mi marido está en el _____ y estamos preocupados porque no encuentra trabajo.
   A. Vaya, ¿y qué hace entonces?
   B. Pues entrega el _____ en muchas empresas, a veces le llaman para alguna _____, pero al final nunca le contratan.

3. Relaciona.

1. Cuando veas a Lola,   a
2. Cuando vayas al supermercado, ☐
3. Cuando tengas tiempo, ☐
4. Cuando salgas a la calle, ☐
5. Cuando necesites algo, ☐
6. Cuando puedas, ☐

    a. salúdala de mi parte.
b. plancha las camisas.   **c.** ven a verme.
   d. llévate el paraguas, está lloviendo.
        d. llámame.
      e. trae café, no hay.

4. Completa las frases con el verbo en la forma adecuada.

1. Cuando *vaya* a México iré a ver a mi amigo Pancho. (ir)
2. Cuando Luis _____ la carrera, se fue a vivir a Praga. (terminar)
3. Cuando _____ de casa para el trabajo siempre me olvido de las llaves. (salir)
4. Cuando Cristina y Quique _____ , decidieron que tendrían dos hijos. (casarse)
5. Pablo se irá de la casa de sus padres cuando _____ un trabajo. (encontrar)
6. Cuando _____ , tráeme el libro que te presté. (poder)
7. Cuando _____ este ejercicio, llamo por teléfono a Andrés. (terminar)
8. María, cuando _____ a la compra, compra el periódico. (ir)
9. Roberto, cuando _____ mal no va al médico, llama a su madre. (estar)
10. Nos compraremos el piso cuando _____ suficiente. (ahorrar)

5. Forma frases condicionales como en el modelo.

1. Jorge no quiere a Lucía. No se va a casar con ella.
   Si Jorge quisiera a Lucía se casaría con ella.

2. Julia no tiene hambre. Hoy no va a cenar.
   _____

3. Mis vecinos no tienen dinero. No pueden cambiarse de piso.
   _____

4. Margarita come muy poco. Está muy delgada.
   _____

5. Me molesta el ruido. No salgo mucho los fines de semana.
   _____

6. Alberto no estudia nada. No aprueba los exámenes.
   _____

7. Nunca voy al teatro. No tengo tiempo.
   _____

7
E

6. Una chica de 24 años ha expresado sus deseos de felicidad en una revista. Completa con los verbos del recuadro en la forma adecuada.

> saber (x 2) – regalar – encontrar
> tener – tocar – poder (x 2)

Sería feliz si...

1. *supiera* cocinar.

2. _____ un armario lleno de ropa elegante.

3. alguien me _____ un ordenador portátil.

4. _____ un novio culto y dulce.

5. _____ comer de todo sin engordar.

6. _____ ir a un balneario a descansar.

7. _____ qué regalarles a mis amigos para su cumpleaños.

8. me _____ un millón de euros en la Lotería de Navidad.

7. Subraya el verbo adecuado.

1. Si *tengo* / *tuviera* tiempo, saldré a comprarme unos zapatos.

2. Si Roberto *estudia* / *estudiara* más, aprobaría.

3. Si *vivimos* / *viviéramos* más de cien años, tendríamos tiempo para hacer muchas cosas.

4. Si trabajaras menos, no *estarías* / *estuvieras* tan cansado.

5. Si *llamaría* / *llama* Ismael, dile que estoy enferma.

6. Si *tendré* / *tengo* hambre, comeré antes de llegar a casa.

7. Si quieres, *podemos* / *podríamos* ir al cine el domingo.

8. Si todos *fueran* / *son* más amables, el mundo *serían* / *serán* más agradable.

9. Si *estuvieras* / *estás* cansado, no vayas a trabajar.

8. Escribe el verbo en la forma adecuada.

1. Si te _____ la cabeza, toma una aspirina. (doler)

2. Si _____ tiempo, iría al gimnasio. (tener)

3. Si María _____, dile que estoy enferma. (llamar)

4. Si tú _____, podríamos comprarnos otro coche. (querer)

5. Si mis padres _____ pronto comeremos a la hora. (venir)

9. Relaciona.

1. Cuando salgas del trabajo ☐
2. Si salieras pronto del trabajo ☐
3. Cuando tenga dinero ☐
4. Si tuviera dinero ☐
5. Cuando vea a Juan ☐
6. Si viera a Juan ☐
7. Cuando vaya a Brasil ☐
8. Si fuera a Brasil ☐

a. cambiaré de coche.
b. le preguntaría por su hermana.
c. iría a ver las cataratas de Iguazú.
d. le daré el dinero que me prestó.
e. pásate por mi casa.
f. no trabajaría tanto. **g.** iré a ver a Mario.
h. podríamos ir al cine.

Soy capaz de...

☐☐☐ *Hablar de las condiciones de trabajo.*

☐☐☐ *Expresar condiciones poco probables de cumplir, utilizando el pretérito imperfecto del subjuntivo.*

☐☐☐ *Situar una acción en el futuro utilizando la estructura* **cuando** + *subjuntivo.*

☐☐☐ *Escribir una carta de solicitud de trabajo.*

A. Deportes

1. ¿Conoces a estos deportistas? ¿Qué deportes practican? ¿De dónde son?

2. Ordena la siguiente entrevista con Fernando Alonso, campeón del mundo de Fórmula 1.

1. Felicidades, Fernando. Acabamos de disfrutar de un momento histórico para el automovilismo español. ¿Cómo te encuentras? `a`
2. ¿Cómo fue la concentración durante la carrera? ☐
3. ¿Nos podrías describir tus emociones en este momento? ☐
4. ¿Piensas celebrarlo en España? ☐
5. ¿Podemos llamarte ya campeón? ☐
6. ¿Qué te dijo el Rey al felicitarte? ☐
7. ¿Cuándo pensaste que ya estaba ganado el título mundial? ☐
8. ¿Qué opinas de Raikkonen como rival? ☐
9. ¿Es el comienzo de una nueva era? ☐
10. ¿Ha significado algo especial batir a Schumacher? ☐

a. *Ahora pienso que este título es lo máximo a lo que podía aspirar en esta vida. Le dedico esta victoria a mi familia y amigos. También les doy las gracias a toda España y a la afición.*

b. *Pues, nada... Que se había emocionado y que había pasado muchos nervios durante toda la carrera.*

c. *Ha hecho una competición fantástica. Su trabajo ha dado más valor a mi título mundial.*

d. *Es imposible describir lo que siento ahora. Me siento feliz y es un día extraordinario para mí.*

e. *Al cruzar la meta. Sólo entonces.*

f. *No. Otros grandes pilotos pueden ganar el título también. El año próximo puede ser muy diferente.*

g. *Tenía pensado hacer algo, pero hemos tenido que anular casi todo.*

h. *Vencerle este año ha supuesto una felicidad extra para mí. Todo el mundo quería ganarle en la pista, porque era como derrotar a Lance Armstrong en el Tour de Francia, y yo lo he logrado.*

i. *Ahora ya sí. Suena muy bien.*

j. *He estado muy centrado durante toda la carrera, pero no pude evitar pensar en el título desde la primera vuelta.*

(*Diario AS*, adaptado)

3. Escucha y comprueba. **27**

4. Localiza en el texto las palabras y expresiones que corresponden a las siguientes definiciones.

1. Quien logra ser el n.º 1 en su deporte. *Campeón*
2. Máximo premio al que puede aspirar un deportista. _____
3. Vencer a un contrincante. _____
4. Conjunto de seguidores de un deporte. _____
5. Competición de velocidad. _____
6. Punto final de una carrera. _____
7. Quien conduce un automóvil. _____
8. Resultado feliz de una actuación deportiva. _____
9. Lugar por donde circulan los coches de carreras. _____

5. Completa los textos con las palabras del recuadro.

> campeona – récord – árbitro – batir – ganador
> atleta – aficionado – medalla

ORO DE CONDE

El (1) *atleta* paraolímpico Javier Conde consiguió la (2)_____ de oro en los 5.000 metros de los Mundiales de Atletismo celebrados en Nueva Zelanda.

POLONIA VENCIÓ

Polonia volvió a ganar el título femenino de (3)_____ europea de voleibol al (4)_____ en la final a Italia (campeona mundial) por 3-1.

NUEVO RÉCORD PARA DAVID MECA

El nadador David Meca fue el (5)_____ por sexta vez consecutiva de la travesía de Barcelona, batiendo su propio (6)_____ del año 2000.

MÁS VIOLENCIA

El (7)_____ Antonio Rama denunció ayer a un (8)_____ que el sábado pasado le arrojó una bicicleta cuando acababa de suspender un partido de juveniles en A Coruña.

ESCUCHAR

6. Laura Urriola ha sido campeona del mundo júnior de taekwondo. Escucha la entrevista y completa la información. **28**

1. Laura Urriola nació en *Colindres* (Cantabria).
2. Empezó a ir al gimnasio con _____.
3. Logró _____ en los Campeonatos del Mundo de Taekwondo.
4. Estos campeonatos se celebraron en _____.
5. Su rival en la final fue una deportista de nacionalidad _____.
6. Actualmente Laura vive con _____.
7. Quiere estudiar para llegar a ser _____.
8. Entrena _____ todos los días.
9. Su actividad en el gimnasio empieza a las _____.
10. Su sueño sería estar en _____ del 2012.

VOCABULARIO

DEPORTES: EQUIPAMIENTO Y LUGARES

7. Coloca las siguientes palabras en la columna correspondiente.

> natación – guantes – casco – fútbol – raqueta
> pista – botas – palos – tenis – ring – ciclismo
> pista de hierba o tierra batida – piscina – boxeo
> golf – estadio – campo – bañador – carretera

DEPORTE	LUGAR	EQUIPAMIENTO
Natación	*Piscina*	*Bañador*

8 A

B. ¿Salimos?

1. ¿A cuál de estos espectáculos has ido últimamente? Relaciona cada palabra del recuadro con su fotografía.

A

C

D

E

| **1.** CIRCO ☐ | **2.** CONCIERTO DE ROCK ☐ | **3.** ÓPERA ☐ | **4.** CINE ☐ | **5.** EXPOSICIÓN DE PINTURA ☐ |

ESCUCHAR

2. Escucha la conversación entre Ana y Pedro y contesta las preguntas. **29** 💿

1. ¿Para cuándo están quedando?
2. ¿Adónde van a ir?
3. ¿A qué hora quedan?
4. ¿Dónde se van a encontrar?
5. ¿Adónde van a ir antes del espectáculo?

3. Escucha de nuevo y completa las preguntas y respuestas en la tabla. **29** 💿

SUGERENCIAS	RESPUESTAS
¿Qué _____ esta tarde?	Podemos _____ _____
¿Y si _____ _____?	¡Ah, vale, _____ _____!
¿Qué te parece _____?	Podemos quedar _____.
¿Dónde _____?	¿Qué tal a _____
¿A qué hora _____?	_____?
Nos vemos _____, entonces.	Bien, _____.

HABLAR

4. Piensa en algo interesante que hacer el próximo fin de semana. Invita a tu compañero. Sigue el esquema de la actividad anterior para quedar a una hora en un sitio determinado.

5. Pregunta a tu compañero utilizando el vocabulario del ejercicio 1.

    A. *¿Cuándo fue la última vez que fuiste a…?*
    B. *Fui a… el fin de semana pasado.*
       La última vez que fui a… fue hace un año.
       Nunca he ido a…

ESCRIBIR

6. Elige uno de los sitios a los que fuiste y escribe algunas frases. Incluye las respuestas a las siguientes preguntas.

> ● ¿Dónde fuiste? ● ¿Con quién fuiste?
> ● ¿Cuándo fuiste? ● ¿Te gustó?
> ● ¿Qué viste / escuchaste?

La última vez que fui a _____
fue _____ .
Fui con _____ .
Vi / escuché _____ .
Me pareció _____ .

GRAMÁTICA

ESTILO DIRECTO

● Reproduce las palabras del hablante exactamente igual a como fueron dichas y gráficamente va escrito con dos puntos, comillas y mayúscula.

Juan dijo: "Esa película es muy buena".

ESTILO INDIRECTO

● Reproduce la información del primer hablante pero no sus palabras textuales y requiere de adaptaciones en las estructuras (verbos, pronombres, posesivos, expresiones de tiempo…).

Juan me dijo que esa película era muy buena.

ESTILO DIRECTO	ESTILO INDIRECTO
… dijo:…	(me) dijo que…
"Esta película es muy buena".	…esta película era muy buena.
"La exposición fue muy interesante".	…la exposición había sido muy interesante.
"El concierto estuvo fantástico".	…el concierto estuvo / había estado fantástico.
"La actuación ha sido impresionante".	…la actuación había sido impresionante.
"Voy a reservarlo por Internet".	…iba a reservarlo por Internet.
"Mañana compraré su último disco".	…al día siguiente compraría su último disco.
"Ya habíamos visto esta película".	…ya habían visto esa película.

7. Escribe las siguientes frases en estilo indirecto.

    1. El concierto empezó a las siete y media.
       Dijo que el concierto había empezado / empezó a las siete y media.
    2. Sacaremos las entradas mañana por la tarde.
    3. Vamos a ir en coche.
    4. Hace dos años que no voy al teatro.
    5. Iremos todos juntos.
    6. Ese concierto ha sido muy caro.
    7. No me gustó nada la película.
    8. Lo he oído por la radio.
    9. Me habían regalado las entradas.
   10. Voy a leer la novela de Andrés.

8. Transforma las siguientes preguntas de estilo directo a estilo indirecto, como en los ejemplos.

    1. ¿Dónde quedamos?
       Dijo que / Quería saber dónde quedábamos.
    2. ¿Venís al cine esta tarde?
       Preguntó si / Quería saber si íbamos al cine esa tarde.
    3. ¿Cuánto costaron las entradas?
    4. ¿A qué hora habéis llegado?
    5. ¿Nos vemos a la salida del trabajo?
    6. ¿Comeréis con nosotros?
    7. ¿Cuándo has vuelto?
    8. ¿Viniste en metro?
    9. ¿Dónde los escuchaste la última vez?
   10. ¿Te gustaría venir con nosotros?

8 B

C. Música, arte y literatura

1. ¿A qué se dedican o se dedicaron estas personas? Elige la palabra correspondiente del recuadro.

cantante – poeta – actriz – director de orquesta – escritor
compositor – pintor – director de cine

1. Federico García Lorca
2. Guissepe Verdi
3. Pablo Picasso
4. Penélope Cruz
5. Alejandro Amenábar
6. León Tolstoi
7. Mick Jagger
8. Herbert von Karajan

2. ¿Qué sabes de ellos? Escribe dos frases para cada uno.

Penélope Cruz es una actriz española. Creo que ha trabajado en alguna película de Almodóvar.

3. Escribe el nombre del músico que toca el instrumento.

1. **violonchelo:** *violonchelista*
2. **violín:**
3. **piano:**
4. **guitarra:**
5. **saxofón:**
6. **batería:**
7. **flauta:**

4. ¿De qué rama de arte crees que se está hablando?

1. La rima no tiene por qué ser perfecta. *Poesía*
2. La puesta en escena fue espléndida. _____
3. La fotografía era buena, pero con demasiados primeros planos. _____
4. El arte abstracto es difícil de entender. _____
5. La orquesta hizo vibrar al público. _____

5. Busca la respuesta a estas preguntas en la sección de sugerencias de nuestro periódico.

1. ¿Qué espectáculo trata sobre los problemas de unos vecinos?
2. ¿Qué espectáculo se puede ver en Cádiz?
3. ¿Cuál está basado en un texto de García Lorca?
4. ¿Cuál podrías ir a ver el viernes?
5. ¿En cuál de ellos podrás escuchar música moderna?
6. ¿En cuál podrás oír música y ver baile?
7. ¿A cuál se va a poder asistir durante más días?
8. ¿Cuál empieza más tarde?
9. ¿Cuál es el más caro?
10. ¿Cuáles son los más baratos?

8
C

SUGERENCIAS

HISTORIA DE UNA ESCALERA, EN CÓRDOBA

El GRAN TEATRO DE CÓRDOBA acoge la obra *Historia de una escalera*, de Antonio Buero Vallejo. José Sacristán y Mercedes Sampietro son los protagonistas de esta gran obra de teatro que narra los problemas personales de los vecinos de una escalera.
Sábado y domingo: 21.00 h.
Entradas: de 5 a 18 €.

HOYOS LLEVA *YERMA* A SAN FERNANDO

La Compañía de la bailaora CRISTINA HOYOS presenta en San Fernando (Cádiz) su espectáculo

Yerma, basado en el texto de García Lorca. El montaje explora los conflictos de una mujer casada que busca sin éxito la maternidad.
REAL TEATRO DE LAS CORTES.
Sábado y domingo: 21.00 h.
Entrada gratuita.

EL ROCK JOVEN ANDALUZ EN GRANADA

Granada acogerá esta noche el FESTIVAL DE ROCK DE ANDALUCÍA. En él actuarán los granadinos Verónicas State, los jienenses Dogma, y los cordobeses Superfly. Además, actuará Sóber, como cabeza de cartel.

CARPA DEL RECINTO FERIAL.
Sábado: 22.00 h.
Entradas: 20 €.

MUESTRA DE PINTURA ESPAÑOLA CONTEMPORÁNEA EN JAÉN

Unas trescientas obras de los principales pintores españoles del siglo XX se dan cita en una exposición que ofrece además la posibilidad de comprar las últimas creaciones de estos autores.
SALA DE EXPOSICIONES DE LA DIPUTACIÓN.
Viernes, sábado y domingo.
Entrada libre.

LEER

6. Este es un extracto desordenado de la obra *Historia de una escalera*, de Antonio Buero Vallejo. Completa el texto colocando en el lugar correspondiente las intervenciones de Fernando.

FERNANDO:
1. Gracias, que aproveche. ¿Y el señor Gregorio?
2. No me haga mucho caso, pero creo que Carmina la buscaba antes.
3. (*Generosa sube. Fernando la saluda muy sonriente*) Buenos días.
4. Hasta luego.
5. Lleva usted razón. Menos mal que Carmina…

FERNANDO: *Buenos días.*
GENEROSA: Hola, hijo. ¿Quieres comer?
FERNANDO: _____
GENEROSA: Muy disgustado, hijo. Como lo retiran por la edad… Y es lo que él dice: "¿De qué sirve que un hombre se deje los huesos conduciendo un tranvía durante

cincuenta años, si luego le ponen en la calle?". Y si le dieran un buen retiro… Pero es una miseria, hijo; una miseria. ¡Y a mi Pepe no hay quien lo encarrile. (*Pausa*) ¡Qué vida! No sé cómo vamos a salir adelante.

FERNANDO: _____
GENEROSA: Carmina es nuestra única alegría. Es buena, trabajadora, limpia… Si mi Pepe fuese como ella…
FERNANDO: _____
GENEROSA: Sí. Es que se me había olvidado la cacharra de la leche. Ya la he visto. Ahora sube ella. Hasta luego, hijo.
FERNANDO: _____

7. Escucha y comprueba. **30**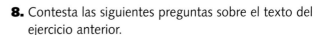

8. Contesta las siguientes preguntas sobre el texto del ejercicio anterior.

1. ¿Qué dos personajes se encuentran en la escalera?
2. ¿De qué tres personajes habla Generosa?
3. ¿A quién jubilan?
4. ¿Cuál era su profesión?
5. ¿Qué problema tiene Generosa con su hijo Pepe?
6. ¿Cómo es Carmina?
7. ¿Con quién compara Generosa a Pepe?

8
C

UNA CARTA FORMAL

1. Lee el anuncio de una exposición en el Museo del Prado de Madrid.

MUSEO DEL PRADO

LAS PINTURAS NEGRAS DE GOYA

Descubra las obras más sobrecogedoras del pintor español

Del 1 de abril al 15 de mayo

VISITA A LA EXPOSICIÓN: 6 € (DESCUENTOS ESPECIALES PARA GRUPOS).

HORARIO: TODOS LOS DÍAS DE 10 A 20 HORAS. LUNES CERRADO.

2. Imagina que eres un guía turístico y tienes que llevar a un grupo de turistas a ver la exposición anterior al Museo del Prado. Antes de ir, escribe una carta al departamento de reservas del museo para organizar la visita de un grupo de 30 personas.

a. Solicita información sobre los siguientes temas:

- Precio para grupos.
- Posibilidad de visita guiada en el idioma de los turistas.
- Uso de cámaras de fotos y vídeo.

b. Organiza la carta en los siguientes párrafos:

- Presentación.
- Explica cuál es el motivo de la carta.
- Solicita la información que necesitas (precio, cámaras...).
- Despedida.

c. Utiliza el recuadro siguiente como ayuda.

- Muy señor mío:
  Me llamo... y me dirijo a ustedes como...
  (profesor, guía turístico, organizador de...)
- El motivo de esta carta es...
- Me gustaría saber...
  ¿Sería posible...?
  ¿Hay posibilidad de...?
  ¿Podríamos...?
- Muy agradecido, a la espera de su respuesta se despide atentamente.

3. Puedes añadir la aclaración de nuevas dudas que se te ocurran como:

- Posibilidad de plaza de aparcamiento para el autocar.
- Posibilidad de pagar con tarjeta de crédito.
- Posibilidad de utilizar el guardarropa para bolsas y macutos.
- Puerta de entrada especial para grupos...

EL FLAMENCO

1. ¿Has escuchado alguna vez música flamenca? ¿Te ha gustado?

2. Lee la información sobre este arte y contesta las preguntas.

EL FLAMENCO

El arte flamenco es el resultado de una suma de culturas musicales que se desarrollaron en Andalucía y se han transmitido de generación en generación. Su historia no es muy antigua, cuenta con poco más de doscientos años de existencia. En esta música se pueden encontrar huellas de la música judía, árabe, castellana y gitana, es decir, de todos los pueblos que han pasado por Andalucía. Los que más influyeron sobre el folclore andaluz para el nacimiento del flamenco fueron los gitanos. Llegaron a España a principios del siglo XV, aunque hasta mediados del siglo XIX no aparece la palabra flamenco en referencia a los cantes y bailes de la región andaluza en España.

A mediados del siglo XX, el flamenco llegó al gran público sin perder su esencia a través de festivales al aire libre. El crecimiento del turismo contribuyó a la creación de tablaos, donde el baile y el cante son la base del espectáculo.

Nunca en su historia el arte flamenco ha gozado de la popularidad de la que disfruta hoy en día. Las universidades españolas ofrecen conciertos de música flamenca, y algunos artistas han sido premiados por las academias de las artes, entre ellos destaca el guitarrista Paco de Lucía. ■

8 D

UN GUITARRISTA UNIVERSAL

Paco de Lucía nació en Algeciras, Cádiz, en 1947. A los veinte años grabó su primer disco y tuvo su primer gran éxito popular en 1974, con su tema *Entre dos aguas*. Ha compuesto bandas sonoras para distintas películas, y destaca su colaboración con el director de cine español Carlos Saura. En octubre de 2004 recibió el premio Príncipe de Asturias de las Artes.

Paco de Lucía hoy está considerado como uno de los "catedráticos" de este arte. La obra del guitarrista gaditano ha supuesto un hito en la historia de la música flamenca y le ha convertido en una gran figura de la música española.

1. ¿Qué antigüedad tiene la historia del flamenco?

2. ¿Qué culturas musicales son la base de esta música?

3. ¿Quiénes tuvieron un papel más importante en su nacimiento?

4. ¿Cuándo se utiliza por primera vez el término "flamenco"?

5. ¿Qué es un tablao?

6. ¿Qué instrumento toca Paco de Lucía?

7. ¿Cuál fue su primer triunfo artístico?

8. ¿Cómo está considerado actualmente Paco de Lucía?

E. Autoevaluación

1. ¿A qué deportes se refieren?

1. "Hay que golpear con diferentes palos según la distancia" *golf.*

2. "No sé qué tiene de emocionante ver a 22 hombres corriendo detrás de una pelota…"_____.

3. "Según el peso de los deportistas se agrupan en diferentes categorías"_____.

4. "Se practican distintos estilos: braza, mariposa, espalda…"_____.

5. "Se juega en diferentes tipos de pistas: de hierba, de tierra batida… y pueden ser dos o cuatro participantes"_____.

2. ¿Qué palabras corresponden a las siguientes definiciones?

> aficionado – atleta – estadio – piloto – raqueta
> árbitro – ganador – récord – estadio – natación

1. Quien gana una prueba deportiva: *ganador.*

2. Quien cuida de la aplicación del reglamento en una competición deportiva: _____.

3. Personas que siguen con interés un deporte: _____.

4. La mejor marca en un deporte: _____.

5. Recinto con asientos para espectadores destinado a competiciones deportivas:_____.

6. Persona que practica el atletismo: _____.

7. Persona que practica el automovilismo: _____.

8. Deporte que se practica en el agua:_____.

9. Se utiliza para jugar al tenis: _____.

10. Trofeo que recibe el ganador de una prueba deportiva: _____.

3. Lee el artículo y completa los huecos con las palabras del recuadro.

> carrera – medalla – éxitos – esquiadora – esquí

Después de haber disputado tres Juegos Olímpicos y cinco mundiales, M.ª José Rienda, (1)_____ granadina de 28 años, consiguió el domingo ganar su primera (2)_____ al terminar tercera en Austria, en la primera (3)_____ de la Copa del Mundo de (4)_____. A lo largo de su trayectoria deportiva ha logrado varios (5)_____, pero este es el primero que consigue en una copa del mundo.

4. Ordena el siguiente diálogo entre Andrés y Marisa.

1. A. Esta tarde nos reunimos en casa de Paco. ¿Te vienes? ☐

2. M. ¡Uff! Es demasiado pronto. ¿Podemos ir un poco más tarde? ☐

3. A. ¡Hola, Marisa! ¿Qué vas a hacer esta tarde? ☐1

4. M. Sí, mejor. ¿Dónde quedamos? ☐

5. M. No lo tengo claro, ¿por qué? ☐

6. M. Vale, allí estaré a las siete y media. ¡Hasta luego! ☐

7. A. Si quieres, quedamos a las siete y media. ☐

8. M. Me gustaría, pero ¿a qué hora? ☐

9. A. En el metro de Alonso Martínez. ¿Te parece bien? ☐

10. A. Sobre las siete de la tarde. ☐

5. Completa las frases con las palabras del recuadro.

> música clásica – ópera – exposición
> compositor – cantante – museo – director

1. Karajan fue el *director* de la Orquesta Filarmónica de Berlín.

2. Mick Jagger es el _____ de los Rolling Stones.

3. A. ¿Te gusta la _____ ?
   B. Sí, mucho.
   A. ¿Y quién es tu _____ favorito?
   B. No es fácil decirlo, pero me gustan Bach y Vivaldi.

4. No he vuelto a la _____ desde que vi *Las bodas de Fígaro.*

5. Va a haber una _____ de sus obras en el nuevo _____ de la ciudad.

6. Cuando Rosa se trasladó a su piso nuevo, era necesario hacer algunos cambios. El dueño la llamó por teléfono y le dejó el siguiente mensaje.

> "Ahora estoy ocupado, pero me pasaré por allí esta tarde o mañana. El tejado lo arreglaré el viernes y llevaré un sofá nuevo la semana próxima. Comprobé el funcionamiento de la calefacción el mes pasado y he comprado una lavadora nueva recientemente. Las alfombras están en el tinte. Tendrías que llamar por teléfono para que te las lleven a casa. Si tienes algún problema, llámame esta noche a casa".

Un mes más tarde, el propietario no había hecho ninguna de las cosas que había prometido. Rosa le está contando a una amiga lo que él le dijo, utilizando el estilo indirecto. Completa el texto.

> Cuando me llamó, me dijo que *estaba* ocupado, pero que se pasaría por aquí esa tarde o al día siguiente. También me dijo que…

7. Un médico está hablando con su paciente. Transforma lo que dice el médico a estilo indirecto.

DOCTOR: (1) ¿Qué le pasa?
PACIENTE: Me desmayé cuando estaba trabajando.
DOCTOR: (2) ¿Sabe por qué le ocurrió eso?
PACIENTE: No lo sé exactamente, pero he tenido mucho trabajo últimamente.
DOCTOR: Comprendo. (3) ¿Podría subirse la manga, por favor? Bien, su tensión arterial está bastante alta. (4) En mi opinión, debería hacer reposo absoluto. (5) Yo creo que debe tomarse unas vacaciones. (6) Si no se lo toma en serio, podría caer gravemente enfermo.

1. El médico quería saber _____.
2. El doctor preguntó _____.
3. Le preguntó _____.
4. El médico le aconsejó _____.
5. Le dijo _____.
6. Le advirtió _____.

8. Completa la siguiente entrevista al bailarín argentino Julio Bocca con los verbos del recuadro.

> debuté – hacer – era – fundé – dio – nací – son

E.: ¿Quién es Julio Bocca?
J.B.: (1) *Nací* en 1967 en Buenos Aires. Mis primeras clases de danza me las (2)_____ mi mamá. (3)_____ a los 14 años. Soy primer bailarín del American Ballet Theatre. (4)_____ el Ballet Argentino en 1990. Hago pilates y me gusta el buen vino.
E.: ¿Qué es bailar?
J.B.: Viene a ser como (5)_____ el amor: algo siempre diferente, único, incluso con la misma persona…
E.: ¿El fútbol y el tango (6)_____ una religión en Argentina?
J.B.: El fútbol más que el tango. El tango casi más fuera.
E.: ¿Boca o River?
J.B.: ¡Boca, claro! (7)_____ el equipo de mi abuelo.

 Soy capaz de…

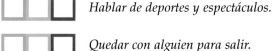

			Hablar de deportes y espectáculos.
			Quedar con alguien para salir.
			Transmitir una información en estilo indirecto.
			Escribir una carta formal.

8
E

A. Sucesos

9 A

1. Cuando lees el periódico: ¿sólo lees los titulares?, ¿cómo seleccionas las noticias que quieres leer?, ¿qué sección te interesa más? Coméntalo con tus compañeros.

2. Lee los titulares de prensa.

> **La policía detiene a dos jóvenes por bañarse de noche en una piscina municipal.**
>
> 1

> **ROBARON UN COCHE Y TRES BARES EN HORA Y MEDIA.**
>
> 2

> **Un hombre apuñala a su compañero de piso en Ávila.**
>
> 3

3. ¿Qué titular piensas que corresponde a la historia más interesante. ¿Por qué? Coméntalo con tu compañero.

4. Mira la siguiente lista de palabras. ¿Qué palabras crees que pertenecen a cada noticia? Utiliza tu diccionario.

1. agentes ☐1️⃣
2. persecución ☐
3. suceso ☐
4. madrugada ☐
5. asaltar ☐
6. heridas ☐
7. discutir ☐
8. agresor ☐
9. puñalada ☐
10. detener ☐
11. navaja ☐
12. huir ☐
13. barrio ☐
14. detenido ☐

5. En parejas, mira los titulares de nuevo. Lee el principio de cada noticia y relaciónalo con los distintos textos.

1. La policía nacional detuvo el lunes por la noche, tras una espectacular persecución, a tres hombres...

2. Dos jóvenes, de dieciocho años, fueron descubiertos por agentes municipales...

3. Un hombre terminó con dos puñaladas una discusión con su compañero de piso...

☐ ...que en poco más de hora y media robaron un coche en Madrid y asaltaron dos bares en la capital y un restaurante en Alcobendas. Los detenidos robaron un BMW blanco a las 23.00 horas y fueron detenidos cerca de la 1.00 horas tras una espectacular persecución en la que intervinieron varias unidades policiales, incluido un helicóptero. Los tres detenidos, que chocaron con coches de policía, tienen antecedentes policiales.

☐ ...Los hechos ocurrieron el viernes en Ávila. Sobre las 7.30 horas el agresor, de 28 años, cogió una navaja y dio dos puñaladas a su compañero, una en el pecho y otra en el cuello. Ambos compartían un piso de alquiler. Tras atacar a su amigo, huyó del lugar. El agresor fue detenido dos horas más tarde por la Guardia Civil. La víctima fue trasladada al hospital, donde se le atendió de sus heridas.

☐ ...mientras se bañaban de madrugada en una piscina municipal en el barrio de Ríos Rosas de Madrid. Los hechos ocurrieron sobre la una de la madrugada del pasado sábado. Los muchachos, ambos vecinos de ese barrio, entraron en la piscina con la única intención de darse un baño. Ambos fueron trasladados a la comisaría y tras el susto y el baño regresaron a sus domicilios.

6. Lee otra vez las noticias y contesta las siguientes preguntas.

1. ¿Qué medio de transporte utilizaron los delincuentes de la primera noticia para realizar sus delitos?
2. ¿Cómo fueron detenidos?
3. ¿Habían sido detenidos con anterioridad?
4. ¿Cuál fue el arma del delito en la noticia de Ávila?
5. ¿Cuántas puñaladas recibió el agredido?
6. ¿Murió la víctima?
7. ¿Quiénes detuvieron a los jóvenes bañistas?
8. ¿Qué pretendían hacer en las instalaciones municipales?
9. ¿Qué castigo recibieron?

GRAMÁTICA

VOZ PASIVA

- La voz pasiva se forma con el verbo **ser** y el participio, que aparece con el mismo género y número que el sujeto pasivo.

  *Hoy **ha sido encontrado** el coche que desapareció en la riada del lunes.*

  *La víctima **fue trasladada** al hospital.*

- Esta forma de pasiva se utiliza especialmente en los textos periodísticos e históricos.

  *La catedral de León **fue construida** en el siglo XIII.*

7. Completa las frases con un verbo del recuadro.

> han sido encontrados – ha sido elegido
> fue inaugurada – fue detenido – fueron detenidos
> serán elegidos

1. Mañana *serán clausurados* los Juegos Olímpicos de este año.
2. Ayer _____ una nueva autopista que une Madrid y Valencia.
3. _____ restos de mamuts de hace más de diez mil años.
4. Los atracadores _____ por la policía antes de salir del banco.
5. Ayer _____ el constructor acusado de corrupción.
6. Ricardo Pérez _____ presidente de la compañía nacional de papelería.
7. Mañana _____ los mejores dibujos del concurso infantil de pintura.

ESCUCHAR

8. Escucha la noticia radiofónica y di si las afirmaciones son verdaderas o falsas. **31** 🎧

1. A Diego le han tocado las quinielas.   F
2. Cuando le tocó la lotería, Diego ya había iniciado los trámites de separación con su mujer. ☐
3. Diego y Juani se pusieron de acuerdo para repartirse el premio. ☐
4. La decisión de repartir el premio la han tenido que tomar los jueces. ☐
5. Diego había rellenado el boleto en su pueblo. ☐
6. El premio no era una cantidad muy importante de dinero. ☐

ESCRIBIR

9. En grupos de cuatro. Pensad en una noticia de actualidad que haya ocurrido en vuestra ciudad, en vuestro país o en el mundo. Escribid la historia y dad alguna información errónea. Cuando hayáis terminado, leed la noticia en voz alta. El resto de la clase tiene que decir dónde está el error.

9 A

B. ¡Cásate conmigo!

1. Relaciona las frases con los dibujos.

1. Ven a buscarme al aeropuerto.
2. ¡Hoy haz tú la comida, por favor!
3. No coma grasa.

4. ¡Cásate conmigo!
5. Saca tú las entradas para el concierto, yo no puedo.
6. No compres este producto, no es bueno.

4

2. Relaciona las dos partes para formar el mensaje en estilo indirecto.

1. ¿Sabes? Sergio me ha pedido ☐
2. Paola me ha dicho ☐
3. La médica me ha prohibido ☐
4. Ana me pidió ☐
5. Mi vecina me aconsejó ☐
6. David me pidió ☐

a. que haga yo la comida.
b. que fuera a buscarla al aeropuerto.
c. que coma grasas.
d. que sacara las entradas.
e. que me case con él.
f. que no comprara ese producto.

3. ¿En qué tiempo y modo están las oraciones en estilo indirecto?

GRAMÁTICA

ESTILO INDIRECTO: ÓRDENES Y SUGERENCIAS

- Cuando presentamos una orden o sugerencia en estilo indirecto, el verbo de la oración subordinada va en subjuntivo.

  *Me <u>ha dicho</u> que **vaya** a verla.*

- Si el verbo introductor está en presente o pretérito perfecto, la oración de estilo indirecto lleva el verbo en presente de subjuntivo.

  *Me <u>ha pedido</u> que me **case** con él.*

- Si el verbo introductor está en pretérito imperfecto, perfecto, indefinido o pluscuamperfecto, la oración de estilo indirecto lleva el verbo en pretérito imperfecto de subjuntivo.

  *Me <u>pidió</u> que **sacara** las entradas.*

4. Subraya el verbo correcto.

1. Mi madre dice que no *hagamos / hiciéramos* tanto ruido.

2. La profesora nos pidió que *hablemos / habláramos* más bajo.

3. Me ha dicho que le *llames / llamaras*.

4. Le dije a Paco que no *venga / viniera* antes de las siete.

5. Todos los días le encargo a Goyo que me *compre / comprara* el periódico.

6. Le dije al taxista que no *vaya / fuera* tan rápido.

7. El médico me ha dicho que *coma / comiera* más despacio.

8. Los organizadores sugieren que no *lleguemos / llegáramos* tarde.

9. El técnico me recomendó que *lea / leyera* las instrucciones.

10. La policía nos aconsejó que *vigilemos / vigiláramos* nuestro equipaje.

5. Pasa las siguientes frases a estilo indirecto.

1. Abróchense los cinturones.
   La azafata nos pidió que nos abrocháramos los cinturones.

2. Recoged la documentación en la ventanilla.
   El policía nos dijo _____
   _____

3. Cierra la puerta, pero no eches la llave.
   Mi padre me pidió _____
   _____

4. Buscad en el diccionario las palabras que no comprendáis.
   La profesora siempre dice _____
   _____

5. Hace frío. Coge el abrigo.
   Mi madre me dijo _____
   _____

6. Lee y completa con el pretérito imperfecto de subjuntivo de los verbos del recuadro.

> recoger – rellenar – enseñar – entregar
> hacer – ir

¡VAYA SUSTO!

Eran las nueve de la mañana. Estábamos en el aeropuerto esperando la salida de nuestro avión hacia Nueva York. Cuando estábamos facturando nuestro equipaje nos dijeron que (1) *enseñáramos* nuestros pasaportes. Mi hijo Sergio no lo encontraba. La azafata nos recomendó que (2)_____ al puesto de policía del aeropuerto. Allí le pidieron que (3)_____ un impreso y que (4)_____ dos fotografías; como no las tenía, le sugirieron que se las (5)_____ en una máquina que había allí cerca. Una vez entregada la documentación, nos dijeron que (6)_____ (nosotros) el pasaporte en 30 minutos. Con el tiempo muy justo y el susto en el cuerpo conseguimos coger nuestro avión en el último momento.

7. Escucha y comprueba. **32** 🔘

HABLAR

8. En grupos de cuatro: uno da una orden en voz baja al compañero de su derecha. Éste transmite la orden al grupo.

Me ha dicho que cerréis los libros.

c. Quiero que mi ciudad esté bonita

1. ¿Es tu ciudad cómoda y bonita?

2. Lee la carta de una lectora a su periódico y contesta las preguntas.

DEMASIADAS OBRAS EN EL CAMINO

La semana pasada iba caminando por mi barrio con unas amigas cuando una de ellas tropezó con un ladrillo, se cayó y se rompió el hombro. La culpa fue de unas obras que están haciendo en la acera desde hace más de tres meses.

Yo creo que la mayoría de los madrileños deseamos que nuestras autoridades nos hagan la vida más cómoda y agradable, no más difícil, a causa de las obras.

¿Cuáles son las cosas sencillas que desean los ciudadanos?
- Que las calles estén limpias, que las aceras no sean peligrosas para las personas mayores o los invidentes.
- Que los transportes públicos funcionen normalmente, sobre todo los autobuses.
- Que nuestra ciudad esté bonita y podamos presumir de ella ante nuestros visitantes.
- Que las obras municipales no se eternicen…

Espero que cuando terminen las obras que hay actualmente en marcha se cumplan mis deseos.

Isabel Camino Vila. Madrid.

1. ¿Qué le pasó a la amiga de la autora de la carta?
2. ¿Cuáles son los deseos de la autora con respecto a su ciudad?
3. ¿En qué tiempo verbal aparecen expresados esos deseos? Subráyalos.

GRAMÁTICA

EXPRESAR DESEOS

- Las oraciones subordinadas dependientes de verbos de deseo y necesidad (*espero, quiero, deseo, necesito, me gustaría*) pueden llevar el verbo en infinitivo o subjuntivo.

  ▸ En infinitivo. Cuando el sujeto de las dos oraciones es el mismo.

  *Deseo **vivir** tranquilo.*

  (yo)   (yo)

  *Me gustaría **viajar**.*

  ▸ En subjuntivo. Cuando el sujeto de las dos oraciones es diferente.

  *Yo deseo que tú **vivas** tranquila.*

  *Me gustaría que **vinieras** a mi casa.*

3. Completa las frases con el verbo en el tiempo adecuado.

1. Quiero que le *digas* a Rosa que iré a verla pronto. (decir, tú)
2. Deseamos que _____ un buen día de cumpleaños. (pasar, vosotros)
3. Espero que Ángel _____ pronto un trabajo, está bastante decaído. (encontrar)
4. María espera que _____ a verla el fin de semana. (ir, nosotros)
5. Todos los padres desean que sus hijos _____ felices. (ser)
6. A Julio le gustaría _____ un negocio de compra venta de coches. (poner)
7. Necesito que me _____. (ayudar, tú)
8. Óscar quiere que le _____ un perrito. (comprar, yo)
9. Mario, no quiero que _____ con esa gente, no me gusta nada. (salir, tú)
10. Es tardísimo, espero _____ a tiempo a la reunión. (llegar)

HABLAR

4. Escribe cinco deseos en un papel. No escribas tu nombre y entrégale el papel a tu profesor. Alguien puede leer los papeles con los deseos y el resto de la clase debe adivinar quién lo ha escrito.

ESCUCHAR

5. Vas a escuchar a varias personas expresar
sus deseos para el año que está
empezando. Completa la información. **33**

1. MARCOS, 34 años
Quiero que _____ de Navidad
y _____ la hipoteca de mi casa.

2. ANDREA
Quiero _____ y pasarme allí
_____.

3. RAQUEL
Yo quiero _____.
Me gustaría _____.

4. ALBERTO, 9 años
Yo quiero que _____.

5. ÓSCAR RUBIO
Quiero _____ …bueno y que mi
novia _____ y que _____
los precios de los pisos.

6. ALEJANDRA
Sólo deseo _____.
Me gustaría _____.

**9
C**

PRONUNCIACIÓN Y ORTOGRAFÍA

OPOSICIÓN /p/–/b/

1. Escucha y repite las palabras. **34**

pala – padre – rápido – poco – poder – pena
ópera – piscina

boda – vino – baño – ambulancia – vela
vida – Buda – bolso – verde

abuelo – robo – avión – ave – pavo – Ávila – robó

2. Escucha y subraya la palabra que oyes. **35**

1. pela   vela   6. vuelvo   pueblo
2. pava   baba   7. Japón   jabón
3. pueblo   bobo   8. jarabe   jarapa
4. apio   avión   9. ávido   rápido
5. bala   pala   10. ropa   roba

3. Escucha y repite. **35**

4. Completa las frases con una palabra de las anteriores.

1. ¿Adónde vas con esa *ropa* tan elegante?
2. A Luis le gusta mucho poner _____ en la ensalada.
3. Mi padre necesita la _____ para trabajar en el jardín.
4. Ese chico es _____, ahora resulta que no sabe multiplicar.
5. ¿Te has tomado el _____ para la tos?
6. Me encanta este _____, huele estupendamente.
7. Este tren es muy _____.

5. Escucha y comprueba. **36**

D. Escribe

NOTAS Y RECADOS

1. ¿Escribes notas y recados normalmente? ¿A quién escribes? ¿Para qué? Con tu compañero, haz una lista.

2. Lee los mensajes y contesta las preguntas.

Felipe:
¡Urgente! ¡Llama a tu padre cuando llegues a casa!
Te espero en la puerta del cine.
Si hay problemas, llámame al móvil.

Un beso

Sara:
Te dejo los papeles del informe en el cajón.
Hay que entregarlos el jueves.
Si acabas pronto tomamos café juntas.

Loli

Julia, han llamado de la óptica y han dicho que ya puedes recoger las gafas.
Son 310 euros.

Tu madre

¿Te importaría no aparcar tu coche tan cerca del mío?
Tengo serios problemas para poder entrar en mi coche.

Gracias

Jorge:
No queda comida para el gato.
He dejado mi parte del dinero para el alquiler en tu habitación.
Nos vemos a la vuelta del fin de semana.

Juanjo

CARLOS:
LLAMA TÚ AL COLEGIO DE PABLO, SU PROFESORA QUIERE HABLAR CON NOSOTROS.

UN BESO

1. ¿Cuál es la situación y el propósito de cada uno de los mensajes?
2. ¿Cuál crees que es la relación entre las dos personas en cada mensaje?

3. Con los datos siguientes, redacta las notas apropiadas. Compara con tu compañero.

1. Charo avisa a Belén de que su novio ha llamado diciendo que llega al aeropuerto a las 10 de la noche y que tiene que ir a buscarle con el coche.

2. María le recuerda a su marido, Manolo, que no se olvide de sacar dinero del banco para pagar el alquiler, porque el casero viene a cobrarlo a las 5 de la tarde.

3. El presidente de la comunidad de vecinos convoca a una reunión urgente a los vecinos de la comunidad porque ha habido una rotura en las cañerías que obliga a hacer una revisión urgente en todos los pisos y es necesario dejar las llaves a los porteros.

4. Necesitas con urgencia un libro que le has prestado a tu compañero de piso, al que no puedes ver durante toda la semana por horarios de trabajo.

ESCUCHAR

4. Escucha los mensajes del contestador automático y escribe las notas correspondientes para tus compañeros de piso. **37**

ATAPUERCA

1. ¿Te interesa la arqueología?

2. Lee el siguiente texto. Completa los huecos con las palabras del recuadro. Utiliza tu diccionario.

> excavaciones – científicos – fósiles – esqueletos
> clima – herramientas – arqueólogos – yacimientos

ATAPUERCA: los orígenes del ser humano

Atapuerca se encuentra en la provincia de Burgos, en Castilla y León, en la cordillera Ibérica. En ella se han descubierto (1) *yacimientos* con restos de homínidos, que se remontan hasta hace un millón de años, y numerosos indicadores climáticos que dan a conocer un (2)_____ cambiante durante el último millón de años.

En 1978 se iniciaron las (3)_____ que han dado importantes frutos. En Atapuerca se han encontrado los (4)_____ de los europeos más antiguos que se conocen, que se han catalogado como una nueva especie: el *Homo antecesor*. Hasta el año 92 no se empezaron a encontrar los primeros fósiles, que se encuentran en el estrato inferior de uno de los yacimientos encima de los cuales había más de 180 (5)_____ de osos, por lo que es fácil imaginar que las condiciones de trabajo para los (6)_____ son muy difíciles. El yacimiento también alberga numerosas (7)_____ y fósiles de animales y polen, así como los restos óseos que pertenecen a un grupo de 30 individuos de la especie *Homo erectus*.

En 1997 el equipo de (8)_____ que estudia el yacimiento, dirigido por Juan Luis Arsuaga, recibió el Premio Príncipe de Asturias. Los yacimientos de Atapuerca han sido incluidos por la UNESCO en la lista del Patrimonio Mundial en el año 2000.

3. Comprueba con tu compañero.

SIERRA DE ATAPUERCA

BURGOS

Villafría
Orbaneja Ríopico
Castañares
San Medel
Quintanilla Ríopico
Cerdeñuela Ríopico
Villalval
Ibeas de Juarros
Rubena
Olmos de Atapuerca
Quintapalla
Barrios de Colina
Atapuerca
Yacimientos de Atapuerca
San Juan de Ortega
Santovenia de Oca
Zalduendo
N-120

AULA ARQUEOLÓGUICA
EMILIANO AGUIRRE

4. Lee el texto otra vez y contesta las preguntas.

1. ¿Qué antigüedad tienen los restos encontrados en Atapuerca?
2. ¿Cuándo comenzaron las excavaciones?
3. ¿Qué es un Homo antecesor?
4. ¿Debajo de qué estaban sepultados los primeros fósiles humanos que fueron encontrados en Atapuerca?
5. ¿Además de restos humanos, qué otras cosas se han encontrado?
6. ¿Quién es el responsable de las excavaciones?
7. ¿Cómo se ha reconocido internacionalmente la importancia de estos yacimientos?

1. Los siguientes titulares de periódico han sido separados de sus noticias. Relaciona cada titular con su texto.

1. La fiesta de la bicicleta en Madrid.	d
2. Cinco millones de personas se enfrentan al hambre en África.	☐
3. El juez encarcela a los detenidos por agresiones a dos policías.	☐
4. El atasco de la A-3.	☐
5. El tifón amaina y el partido se podrá disputar sin problemas.	☐

a. La sequía del año pasado y las consecuencias de una grave plaga de langostas enfrentan a Níger, Malí, Burkina Faso y Mauritania a una de las mayores emergencias alimentarias de los últimos años.

b. El encuentro entre el Júbilo Iwata y el Real Madrid no corre peligro. A pesar de las malas condiciones meteorológicas, todo hace indicar que éste se celebrará.

c. La circulación por el centro de la capital quedará cortada mañana por la mañana debido al popular acontecimiento deportivo.

d. Se abrió un carril adicional, se recomendaron itinerarios alternativos, se restringió la circulación de camiones y hubo escalonamiento; así y todo, ha habido retenciones.

e. Los tres jóvenes arrestados el sábado en Málaga tras los enfrentamientos con las fuerzas del orden público ingresaron ayer en prisión.

2. Busca palabras en los textos anteriores relacionadas con las siguientes definiciones.

1. Tráfico de vehículos: _____

2. Periodo de escasez de lluvia de larga duración:

_____

3. Huracán del mar de la China: _____

4. Embotellamiento, congestión de vehículos en la carretera: _____

5. Cárcel: _____

3. Transforma las siguientes frases de estilo directo a estilo indirecto.

1. El doctor me dice: "Haga mas ejercicio".
El doctor me dice que _____
_____

2. Antonio siempre me dice: "No me esperes a comer".
_____
_____

3. Mis amigos me dicen: "Ven a vernos los fines de semana".
_____
_____

4. Todos los días le digo a mi marido: "Espérame a la salida de la oficina".
_____
_____

5. En la Administración siempre te dicen: "Vuelva usted mañana".
_____
_____

4. Repite las frases del ejercicio anterior poniendo el verbo "decir" en pasado, como en el ejemplo.

1. El doctor me *decía / dijo* que hiciera más ejercicio.

2. _____
_____

3. _____
_____

4. _____
_____

5. _____

5. Transforma a estilo indirecto los consejos que la profesora da a su alumno.

Mira Raúl, atiende en clase, haz los deberes, pregunta tus dudas, no molestes a tus compañeros y estudia para los exámenes.

La profesora me dijo que _____
_____
_____
_____

6. Transforma las siguientes frases de estilo indirecto a estilo directo.

1. Me pidió que me fuera con él.
_____

2. Me ha dicho que vaya mañana.
_____

3. Me dijo que lo leyera en voz alta.
_____

4. Me dice siempre que no haga ruido.
_____

5. Nos pidieron que fuésemos puntuales.
_____

6. Nos dijo que terminásemos pronto.
_____

7. Me pidió que hiciera la cena.
_____

8. Les dijo a los niños que se lavasen las manos.
_____

7. Subraya el verbo adecuado.

1. Espero que *seas / eres* muy feliz.

2. No quiero que *sales / salgas* de casa tan tarde.

3. Necesito que me *decir / digas* el número de teléfono de Marta.

4. Mis padres quieren que *estudie / estudio* medicina.

5. Rosa no quiere *salir / salga* esta tarde.

6. A nosotros nos gustaría *comprarnos / que compráramos* un piso, pero están muy caros.

7. Aunque no he estudiado nada, espero *tener / que tengas* suerte en el examen de matemáticas.

8. Me gustaría que ellos *vinieran / venir* más a mi casa.

9. ¿Necesitas que te *ayude / ayudar*?

10. ¿Quieres que te *acompañe / acompañarte*?

11. ¿Esperas que Miguel *viene / venga* a la boda?

12. Me gustaría *tener / que tuviera* más vacaciones, estoy muy cansada.

ESCRIBIR

8. Escribe un párrafo sobre qué desean los habitantes de tu país de sus autoridades.

> *Los habitantes de mi país esperan que los gobernantes piensen más en los problemas que tenemos...*
>
> *En primer lugar... queremos / deseamos que...*

😊😐☹	*Soy capaz de...*
☐☐☐	*Reconocer la forma pasiva en textos periodísticos.*
☐☐☐	*Transmitir una petición, consejo, recomendación en estilo indirecto.*
☐☐☐	*Expresar deseos con **espero, deseo, me gustaría que**...*
☐☐☐	*Escribir notas y recados.*

A. De viaje

10

10 A

1. ¿Qué planes tienes para tus vacaciones? Comenta con tu compañero.

¿Te gusta viajar fuera de tu país?

¿Vas solo, con tu familia o con amigos?

¿Prefieres viajes culturales o de descanso?

2. Escucha los planes de verano de las siguientes personas y completa la información. **38**

1. Alejandra está montando _____ y seguramente irá _____ .

2. A Eduardo le gustaría ir a _____ , pero quizás coja la mochila y _____ .

3. María desearía recorrer durante un año _____ , pero a lo mejor se va unos días _____ .

4. A Rodrigo le gusta ir todos los veranos a _____ , probablemente vaya primero a _____ y después a _____ .

COMUNICACIÓN

EXPRESIÓN DE LA CONJETURA

Para expresar nuestras dudas y planes sin definir (conjeturas) podemos utilizar las siguientes expresiones:

● ***A lo mejor* + presente de indicativo**

A lo mejor voy a Málaga en vacaciones, pero no estoy seguro.

● ***Seguramente* + futuro**

Seguramente iré en tren; ya veremos.

● ***Quizás* + presente de subjuntivo**

Quizás vayamos a Canarias, pero aún no lo sabemos con seguridad.

● ***Probablemente* + futuro o presente de subjuntivo**

Probablemente compraremos los billetes por Internet.

Probablemente ya sea tarde para salir.

3. Construye correctamente las siguientes frases.

1. Quizás / llegar (yo) / antes de comer.
2. A lo mejor / comer (nosotros) / en un restaurante chino.
3. Seguramente / visitar (ellos) / los museos más importantes.
4. A lo mejor / ir (nosotros) / este verano a tu pueblo.
5. Quizás / hacer (ellos) / un curso de vela.
6. Probablemente / venir (él) / a esquiar con nosotros.
7. Seguramente / poder (él) / visitar la catedral.
8. Quizás el viaje / ser / demasiado largo.
9. Probablemente / hacer / buen tiempo.
10. A lo mejor / no haber / cajero automático en ese pueblo.

4. Lee el texto y contesta las preguntas.

ESCRIBIR

5. Por parejas, imaginad que cada uno de vosotros habéis dado la vuelta al mundo. Preparad la entrevista para preguntarle al compañero sobre su viaje. Podéis basaros en las preguntas del ejercicio anterior.

HABLAR

6. Realiza la entrevista a tu compañero.

La abuela viajera

A punto de cumplir los 67 años, Ana, una jubilada canaria, madre y abuela de familia numerosa, ha emprendido la última etapa de su vuelta al mundo al volante de una furgoneta.

Todo empezó al cumplir los 63 años. Ana cerró su tienda de ropa de bebé y se jubiló. "Ahora me podría dedicar a hacer realidad mis ilusiones, la mayor de las cuales era viajar". Así que, a la misma edad en la que muchas de sus amigas se apuntaban a viajes organizados para jubilados, ella se embarcó en una tremenda aventura que le ha llevado a recorrer ya medio mundo, y con la que ha continuado desarrollando una afición que ya antes había practicado con viajes más cortos por Europa.

Ana cumplirá 67 años el próximo 16 de noviembre. Esta canaria, segunda de doce hermanos y residente en Tenerife, tiene cuatro hijos y cinco nietos. Pero quizás Ana no pase el día de su cumpleaños con su familia, sino que probablemente lo celebrará en algún lejano país del sur de África.

La experiencia no es nueva para ella. El día de su 65 cumpleaños lo pasó en China, y los 64 le llegaron mientras visitaba América Latina. Y es que Ana inició ahora hace cuatro años una gran aventura que la llevó en primer lugar a recorrer durante casi ocho meses el continente americano, desde Canadá hasta Chile y Argentina. Un año después realizó su segundo gran viaje, con el que llegó hasta Nueva Zelanda, tras atravesar Europa y Asia y visitar Australia. Ahora sólo le queda por conocer África, y eso es precisamente lo que está haciendo, puesto que a principios de septiembre salió de Valencia con su furgoneta hacia el corazón del continente negro.

El País Dominical, 8.10.2000

1. ¿Cómo viaja Ana?
2. ¿A qué edad empezó su vuelta al mundo?
3. ¿En qué trabajaba Ana?
4. ¿Cómo viajan sus amigas?
5. ¿Por dónde había viajado antes de jubilarse?

6. ¿Dónde cumplió los 64 años?
7. ¿Dónde cumplió los 65?
8. ¿Dónde pasará probablemente su 67 cumpleaños?
9. ¿Cuántos años hace que empezó su vuelta al mundo?
10. ¿Cuál es el único continente que le queda por recorrer?

B. Alojamientos

1. Mira las fotografías y comenta con tu compañero.

¿Cuál de estos tres alojamientos preferirías para pasar un fin de semana?

¿Por qué?

Haz una lista de cuatro o cinco cosas que te gustaría que tuviera un alojamiento para que te resultase agradable.

VOCABULARIO

2. Mira las dos listas de servicios del hotel "El jardín de los sueños" de Almería. La primera lista se refiere a los servicios que ofrece el hotel. La segunda lista se refiere a los servicios que encontrarás en las habitaciones.

a. Elige los cinco servicios de cada lista que consideras más importantes.

b. Elige otros cinco servicios de los que podrías prescindir.

c. ¿Hay algún servicio que no aparezca en las listas y consideres imprescindible?

HOTEL EL JARDÍN DE LOS SUEÑOS

INSTALACIONES

Piscina • Sala de reuniones
Gimnasio • Sauna • Restaurante
Servicio de plancha • Cuidado de niños
Aparcamiento • Lavandería
Prensa gratuita • Telefax

LAS HABITACIONES DISPONEN DE

Radio / Televisión • Teléfono
Albornoz • Secador de pelo
Minibar • Baño privado
Servicio de habitaciones 24 h
Cafetera y tetera • Terraza
Aire acondicionado • Escritorio

3. Vas a oír cuatro conversaciones en diferentes lugares. Escucha y completa las frases. **39**

1. (EN UN HOTEL, POR TELÉFONO)

   A. ¿ _____ que me subieran el desayuno a la habitación?

   B Sí, señor, _____.

2. (EN UN ALBERGUE)

   A. ¿ _____ dejarnos alguna manta más para nuestra habitación?

   B. ¡_____! ¿Cuántas necesitáis?

3. (POR TELÉFONO)

   A. ¿ _____ despertarme a las siete de la mañana?

   B. _____, señora.

4. (EN LA RECEPCIÓN DEL HOTEL)

   A. ¿ _____ pedir a alguien que nos revisara el aire acondicionado?

   B. Sí, _____. ¿Cuál es el problema?

COMUNICACIÓN

PEDIR UN SERVICIO DE FORMA EDUCADA

Formal

¿Le importaría…?   *¿Sería posible…?*

¿Sería / serían tan amables de…?

Informal

¿Te importaría…?   *¿Podrías…?*

Respuestas

Sí, cómo no.   *Por supuesto.*

Sí, ahora mismo.   *Claro que sí.*

Lo siento, pero…

ESCRIBIR

4. Por parejas, preparad tres diálogos para las siguientes situaciones, después practicadlo con vuestro compañero.

- No funciona la calefacción en la habitación.
- Preferiríais una habitación más tranquila.
- Necesitáis un enchufe especial (adaptador) para vuestro aparato de radio.

HABLAR

5. Por parejas, el estudiante A le pide al estudiante B tres cosas de la siguiente lista. El estudiante B contesta afirmativa o negativamente.

- que te pase la sal • que te preste su coche
- que te haga la cena
- que saque al perro a pasear
- que te ponga un CD • que hable más bajo

PRONUNCIACIÓN Y ORTOGRAFÍA

DIPTONGOS, TRIPTONGOS E HIATOS

- Dos o tres vocales juntas forman diptongo o triptongo, de forma que se pronuncian en una sola sílaba.

  vacaciones (va-ca-cio-nes)   *viaje (via-je)*
  familia (fa-mi-lia)   *buey (buey)*
  continuáis (con-ti-nuáis)

- No se considera diptongo la unión de dos vocales abiertas.

  aéreo (a-é-re-o)   *leo (le-o)*

- Cuando el acento recae en la vocal cerrada, se rompe el diptongo y se produce un hiato.

  María (Ma-rí-a)   *río (rí-o)*
  país (pa-ís)

10 B

1. Escucha y repite. **40**

diez / Díez – secretaria / secretaría
sería / seria – hacia / hacía – río / rio
guío / guio – sabia / sabía – estudio / estudió
cantara / cantaría

2. Escucha y escribe las tildes necesarias. **41**

1. Angel se rio mucho de los chistes de Rosa.
2. Mañana no vendra la secretaria.
3. Roberto estudio en Valencia.
4. El rio Ebro pasa por Zaragoza.
5. Luisa se cree muy sabia.
6. Moises guio a su pueblo por el desierto.
7. Ayer no sali porque hacia frio.
8. Le pidieron que cantara otra canción.
9. Yo no estudio mucho, no me gusta.
10. Yo creo que ella no sabia nada.

C. Historias de viajes

1. Lee y numera los párrafos del 1 al 8. Después escucha y comprueba. **42** 🔘

JÚZGUELO USTED MISMO

A ___

Después de escuchar a las dos partes del conflicto, el juez dijo que parecía que estaban hablando de dos hoteles diferentes.

B ___

Pero, cuando regresaron, lo primero que hicieron fue ir a su agencia de viajes para quejarse.

C ___

Sin embargo, los responsables del hotel negaron todas las críticas, y en la agencia de viajes les dijeron que fueran a juicio si lo deseaban.

D ___

En el juicio los responsables del hotel llevaron a varios testigos que dijeron que habían disfrutado mucho durante su estancia en el hotel y pidieron al juez que viera un vídeo para demostrar lo agradable que era.

E ___

También se quejaron del mal servicio, dijeron que la bañera estaba en muy malas condiciones y que había un olor horrible en el baño. Aseguraron que se parecía más a una cárcel que a un hotel, y pidieron 6.000 € de compensación.

F ___

Al final, el juez decidió que era imposible decir quién estaba diciendo la verdad; así que sólo se podía hacer una cosa: ir a ver el hotel por sí mismo.

G _1_

Los señores Blanco iban entusiasmados a pasar sus vacaciones en un hotel de tres estrellas en la playa.

H ___

Sus vacaciones habían sido una pesadilla. Dijeron que su estancia había resultado desastrosa porque el hotel estaba muy sucio, con cucarachas en los dormitorios y en el restaurante.

2. Lee la historia otra vez y completa las frases con la forma correcta del verbo.

1. *Fueron* (ir) a su agencia de viajes nada más regresar.
2. Los testigos aseguraron que _____ (disfrutar) mucho en el hotel.
3. Las instalaciones de la habitación _____ (estar) en muy malas condiciones.
4. Los testigos querían que el juez _____ (ver) un vídeo del hotel.
5. Los señores Blanco _____ (quejarse) del mal servicio del hotel.
6. Les aconsejaron que _____ (ir) a juicio.

3. Escucha a Paloma contando sus experiencias en su viaje a Nueva York y ordena los dibujos según la historia. **43** 🔘

10 C

4. Escucha de nuevo la historia de Paloma y completa estas frases. **43** 🔘

1. Me di cuenta de que _____ mi tarjeta de embarque.

2. Oí mi nombre pidiendo que _____ en el mostrador de Iberia.

3. Me dijeron que una niña la _____ en la puerta del servicio.

4. El policía me pidió que _____ .

5. El señor me dijo que _____ mi maleta por error.

HABLAR

5. En parejas, utiliza las frases del ejercicio 4 y los dibujos para volver a contar la historia.

6. En grupos de tres. Habla con tus compañeros sobre las anécdotas que te han ocurrido en alguno de tus viajes. Contestad entre otras a las siguientes preguntas.

- ¿Alguna vez te has puesto enfermo en un viaje?
- ¿Te han robado?
- ¿Has perdido alguna maleta?
- ¿Ha salido tu vuelo con retraso?
- ¿Te has dejado algo en un hotel?

ESCRIBIR

7. Escribe una historia que te ocurriera en algún viaje que no salió del todo bien. Léesela al resto de la clase.

VOCABULARIO

¿QUÉ TAL TIEMPO OS HIZO EN GALICIA?

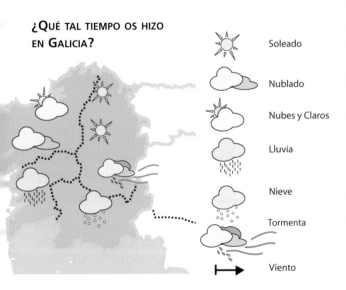

Soleado

Nublado

Nubes y Claros

Lluvia

Nieve

Tormenta

Viento

8. Completa el siguiente texto con las palabras del recuadro. Después escucha y comprueba. **44** 🔘

> nubes – lloviendo – frío – sol – niebla
> paraguas – nubló – viento

Mi primera experiencia de lo que es un verano lluvioso la tuve el pasado mes de julio cuando decidí ir de fin de semana con mi novio a Galicia. Nosotros vivimos en Sevilla, donde casi no llueve y el (1)_____ brilla todo el año. Nada más bajar del coche tuvimos que sacar el (2)_____, porque empezó a llover. El resto de la gente caminaba por la calle tranquilamente, mientras nosotros buscábamos refugio en el hotel. Al día siguiente, cuando íbamos a salir hacia nuestra primera excursión, tuvimos que cambiar de planes, porque estaba (3)_____ a cántaros. A mediodía se retiraron las (4)_____ y apareció el sol. Muy contentos, nos preparamos para bajar a la playa. A la media hora de estar sentados al sol (el agua estaba bastante fría y era imposible bañarse), el cielo se (5)_____, empezó a lloviznar y tuvimos que volvernos al hotel. Al día siguiente nos dirigimos al cabo de Finisterre, para ver sus bonitas vistas. Nos tuvimos que llevar la chaqueta porque hacía bastante (6)_____ y allí soplaba un (7)_____ muy fuerte. Pero lo peor fue que, al llegar al mirador, no se veía absolutamente nada porque había una (8)_____ muy espesa. Eso sí, comimos el plato de pulpo más rico que habíamos probado en nuestra vida.

10
C

D. Escribe

UNA TARJETA POSTAL

1. Lee la siguiente tarjeta y contesta las preguntas.

Querido Jorge:

Estamos de vacaciones en Córdoba.

Esta mañana hemos recorrido su precioso barrio judío, lleno de patios con flores.

También hemos estado en la Mezquita de Córdoba y nos ha gustado muchísimo.

Por otra lado, hace muy buen tiempo: mucho sol y una temperatura estupenda para pasear.

Ya os contaremos a la vuelta.

Muchos besos.

Laura y Sara

JORGE GUTIÉRREZ

C/ IBIZA, 56; 3.º B

28010 - MADRID

ESPAÑA

1. ¿Quién envía la tarjeta?
2. ¿Desde qué ciudad la envía?
3. ¿A quién va dirigida?
4. ¿Cuáles son los principales atractivos turísticos de Córdoba.?
5. ¿Qué tiempo hace?

2. Relaciona cada palabra con su abreviatura.

1. calle	a. p.º
2. plaza	b. dcha.
3. paseo	c. avda.
4. avenida	d. c/
5. izquierda	e. izda.
6. derecha	f. pza.

3. Ordena los siguientes datos para escribir las direcciones correctas. Escribe las abreviaturas y las mayúsculas donde sea necesario. Fíjate en la postal de la actividad 1.

1. príncipe / barcelona / 30029 / españa / 2.º D / 90 / calle
2. madrid / 4.º E / plaza / 28045 / peñuelas / 5
3. de la paz / toledo / avenida / 12005 / 128 / 3.º izquierda
4. paseo / valencia / imperial / 16 / 35004 / 5.º dcha

COMUNICACIÓN

Para hablar del tiempo

hace mucho frío / calor / viento / sol
llueve sin parar / a cántaros
está nublado / está nevando

Para hablar del paisaje

esto es precioso / impresionante / muy bonito

Para hablar de la gente

la gente es amable / antipática / acogedora

Para despedirte

Saludos / Recuerdos / Un abrazo / Besos / ¡Hasta pronto!

4. Escribe el texto de dos postales.

a. Piensa en una ciudad de tu país, en la que estás de vacaciones. Escribe una postal a un amigo y cuéntale qué estás viendo, qué tal lo estás pasando, qué tal tiempo hace…

b. Estás pasando unos días en la montaña, hace muy mal tiempo y el hotel no es muy bueno. Escribe una tarjeta a tus padres.

GUATEMALA

1. Lee el siguiente texto y contesta las preguntas.

¿QUIERES VIAJAR A GUATEMALA?

Antes de iniciar tu viaje es imprescindible que sepas

CLIMA: La temperatura media anual es de 20 °C. En la costa puede llegar hasta los 37 °C, mientras que en las zonas montañosas más altas pueden llegar a temperaturas bajo cero. Por lo general, las noches son bastante frescas en cualquier época del año.

INDUMENTARIA: La indumentaria aconsejable es ropa ligera, de tejidos naturales, durante todo el año. Un jersey o alguna prenda de abrigo te serán útiles para las noches y para cuando entres en locales con aire acondicionado.

GASTRONOMÍA: Los restaurantes de la capital (Guatemala) ofrecen una amplia variedad de platos de cocinas tan diversas como la china, francesa, italiana o estadounidense, a precios muy asequibles. La comida nativa ofrece especialidades a base de mariscos, carne de pollo, de ternera o de cerdo, acompañados de arroz, frijoles fritos, tortillas de maíz, café y frutas tropicales.

GUATEMALA CIUDAD: La capital del país no sólo muestra la arquitectura colonial, sino que también es moderna y cosmopolita, y en ella se mezclan las tradiciones y la moderna vida de sus habitantes. Sus museos ofrecen una amplia muestra de la historia y de la cultura nacional.

LOS MAYAS: El viajero que llegue a este país no tardará en descubrir que los mayas tuvieron el centro de su imperio en lo que es la actual Guatemala. Pero del esplendor del Imperio Maya no sólo quedan sus ruinas; más de la mitad de la población actual guatemalteca se puede considerar descendiente directa de esta antigua raza.

10 D

1. En Guatemala las noches son muy calurosas. [F]
2. En la alta montaña hiela. ☐
3. Si vas a Guatemala, no necesitas llevar ropa de abrigo. ☐
4. En la capital podemos comer en un restaurante chino. ☐
5. La comida guatemalteca se suele servir con arroz, frijoles y maíz. ☐
6. En la capital podemos encontrar edificios que recuerdan su época como colonia española. ☐
7. En Guatemala ciudad es difícil encontrar edificios modernos. ☐
8. La huella de los mayas no es muy visible en este país. ☐
9. Quedan una gran cantidad de ruinas de la época del Imperio Maya. ☐
10. La mayoría de los habitantes de Guatemala tienen ascendencia europea. ☐

1. Completa las frases con los verbos del recuadro en el tiempo correspondiente.

> encontrar – venir – estar (x 2) – tener (x 2)
> vivir – subir – poder – oír

1. Juan no me habla. Quizás _____ enfadado conmigo.
2. ¿Necesitas un trabajo? A lo mejor _____ conseguirte uno.
3. El niño está llorando. Seguramente _____ hambre.
4. Estamos buscando billetes de avión. A lo mejor los _____ en Internet.
5. Paco no puede venir este fin de semana. Probablemente _____ trabajo en casa.
6. Hace mucho que no veo a Victoria. A lo mejor ya no _____ en Madrid.
7. El avión tenía que haber aterrizado. Quizás _____ con retraso.
8. No sé por qué no abre. Quizás no _____ el timbre.
9. El director quiere hablar conmigo. Seguramente me _____ el sueldo.
10. Alicia no ha venido a trabajar. A lo mejor _____ enferma.

2. Escribe la palabra correspondiente para cada uno de los símbolos del hotel.

3. ¿Cómo sería el diálogo que mantendrías con el recepcionista del hotel en las siguientes situaciones? Utiliza las distintas fórmulas de cortesía.

1. Quieres ir a un hotel a pasar un fin de semana.

   CLIENTE: ¿_____ decirme si hay habitaciones libres para el fin de semana?
   RECEP.: _____ ¿Qué tipo de habitación desearía?

2. Tienes las maletas preparadas para irte del hotel y quieres pedir la cuenta.

   CLIENTE: ¿_____ prepararme la cuenta, por favor?
   RECEP.: _____. ¿Su número de habitación, por favor?

3. Quieres comer en un restaurante japonés cerca del hotel.

   CLIENTE: ¿_____ de indicarme dónde hay un restaurante japonés por esta zona?
   RECEP.: _____ no hay ningún restaurante japonés en los alrededores.

4. Estás en un albergue juvenil y quieres que te despierten a las 8 de la mañana.

   CLIENTE: ¿_____ despertarme a las 8 de la mañana?
   RECEP.: _____, ¿en qué habitación estás?

4. Completa el siguiente correo con el tiempo correspondiente de los verbos entre paréntesis.

Querido Carlos:
Ayer (1)_____ (llegar—yo) de Caracas y aún no me he recuperado de lo mal que lo (2)_____ (pasar—yo). Despegamos dos horas tarde a causa del mal tiempo y luego, mientras (3)_____ (cruzar)el océano, (4)_____ (empezar) a soplar un viento muy fuerte. El capitán nos dijo que (5)_____ (abrocharse—nosotros) los cinturones. Todos (6)_____ (asustarse—nosotros) muchísimo, y durante más de media hora (7)_____ (atravesar) una terrible tormenta. Aún estaba lloviendo y (8)_____ (hacer) mucho viento cuando llegamos a Caracas. No sabes qué feliz me sentí cuando la azafata nos anunció que el avión ya (9)_____ (aterrizar) y nos pidió que (10)_____ (quitarse—nosotros) el cinturón de seguridad. Por fin podíamos respirar tranquilos. Afortunadamente, el tiempo ha mejorado desde entonces y espero que el viaje de vuelta sea mejor.

Un abrazo, Elena

5. ¿Qué tiempo crees que hacía para que sucedieran las siguientes cosas?

1. Tuvimos que sentarnos a la sombra durante toda la tarde. _____
2. Los coches salpicaban agua y mojaban a los peatones. _____
3. Tuvieron que cerrar el aeropuerto. No había suficiente visibilidad. _____
4. Se me voló el periódico de las manos.
   _____
5. Mirando al cielo parecía que iba a llover.
   _____
6. Pudimos ir a esquiar el fin de semana.
   _____
7. Un rayo partió un árbol. _____

6. Lee el siguiente texto y di si las afirmaciones siguientes son verdaderas o falsas.

CÓMO PREPARAR SUS VACACIONES

- Si hace una reserva a través de una agencia de viajes, suele costarle más barato que si lo hace directamente con el hotel.
- Cuando haga una reserva de hotel o de avión, infórmese de las condiciones y de los gastos si después decide anular esa reserva.
- Si reserva una plaza en un viaje organizado, lea con detenimiento la última página del folleto; allí figuran las condiciones del viaje (seguros, gastos de cancelación, etc.).
- Cuanto antes reserve, mejor. Consulte en su agencia las ventajas de reservar con anticipación.
- Si no está obligado a viajar en unas fechas muy concretas, podrá aprovechar las ofertas de última hora, con grandes descuentos.
- Si es estudiante, viaja con niños o es mayor de 65 años infórmese de sus ventajas en su agencia de viajes.

10
E

1. Contratar una habitación de hotel por tu cuenta resulta más barato. [F]
2. Anular una reserva no tiene consecuencias económicas. ☐
3. En la última página de los folletos aparece una información muy importante para su viaje. ☐
4. Contratar su viaje con mucha antelación es más barato. ☐
5. Es mejor no tener fechas fijas para viajar y poder aprovechar algunas ofertas interesantes. ☐
6. Los viajes cuestan lo mismo, independientemente de la edad que tengas. ☐

😀😀🙁 *Soy capaz de…*

☐☐☐ *Expresar conjeturas.*

☐☐☐ *Pedir un servicio.*

☐☐☐ *Hablar del tiempo atmosférico.*

☐☐☐ *Escribir una postal.*

A. En el mercadillo

1. camisa	5. pantalones	9. zapatos
2. traje	6. jersey	10. chándal
3. corbata	7. camiseta	11. zapatillas de deporte
4. sombrero	8. botas	12. calcetines

1. chaqueta	7. pendientes	13. gorro
2. bolsillos	8. pañuelo (de cuello)	14. abrigo
3. botones	9. cinturón	15. guantes
4. falda	10. medias	16. sombrero
5. blusa	11. zapatos (de tacón)	
6. bufanda	12. bolso	

11
A

1. Comenta con tus compañeros.

¿Te gusta ir de compras?

¿Dónde sueles hacer tus compras: en grandes superficies, en las tiendas de tu barrio...?

¿Te gusta comprar en los mercadillos?

VOCABULARIO

2. Lee el vocabulario de los escaparates y observa qué palabras son singulares y qué palabras son plurales.

3. Cuando alguien quiere comprar una prenda plural, puede pedirla utilizando el artículo *unos* o la expresión *un par de*. Elabora una lista de las cosas que se piden por pares.

Quiero un par de medias, ...

4. Encuentra y escribe las diez diferencias entre los dibujos A y B.

A

B

5. Completa las frases con el vocabulario adecuado (es posible más de una solución).

1. María decidió ponerse una *falda* y una _____ en vez de un vestido.
2. Jesús se probó un _____; la chaqueta le estaba bien, pero los _____ le estaban muy cortos.
3. Me he comprado unos _____ de piel, pero me hacen daño en un dedo.
4. Para que no se me queden las manos heladas me he comprado unos _____.
5. Como hacía mucho calor en la oficina, me quité la _____.

ESCUCHAR

6. Vas a escuchar tres conversaciones en un mercadillo. Completa las frases con las palabras y expresiones del recuadro. Luego, escucha y comprueba. **45**

> le queden – nos lo llevamos – talla – probador
> un par – barato – se las dejo – tiene usted – caro

A. 1. Es un poco _____. Nos lo dejará usted un poco más _____.
  2. Vale, _____. ¿Nos lo podría envolver para regalo?

B. 1. ¿_____ esas zapatillas de color naranja en el número 38?
  2. Aquí tenemos _____. Pruébeselas si quiere.
  3. Si se lleva las dos cosas, _____ en 50 €.

C. 1. Venía a ver si tiene una _____ más.
  2. Pase por aquí, que tenemos un _____.
  3. Lo que hace falta es que _____ bien.

GRAMÁTICA

PRONOMBRES DE OBJETO DIRECTO E INDIRECTO

Pronombres de objeto directo

	singular	plural
1.ª persona:	me	nos
2.ª persona:	te	os
3.ª persona:	lo (le) / la	los (les) / las

- Los pronombres de objeto directo e indirecto van siempre delante del verbo, excepto cuando el verbo va en imperativo, infinitivo o gerundio.
  - *Qué jarrón tan bonito. ¿Lo puedo ver?*
  - *Sí, señora. Cójalo.*

- En 3.ª persona el uso de los pronombres *le / les* está aceptado para personas masculinas.
  - *¿Dónde están tus hermanos? Los / les hemos estado esperando toda la tarde.*

Pronombres de objeto indirecto

	singular	plural
1.ª persona	me	nos
2.ª persona	te	os
3.ª persona	le (se)	les (se)

Lo que hace falta es que le queden bien (a usted).

- Cuando es necesario utilizar los dos pronombres (directo e indirecto), el indirecto va en primer lugar.
  - *¡Qué jarrón tan bonito! ¿Me lo puede enseñar?*

- Cuando al pronombre *le* (objeto indirecto) le sigue un pronombre de objeto directo de 3.ª persona (*lo, la; los, las*), el primero se convierte en *se*.
  - *Aquí tiene las zapatillas, señora. Pruébeselas, si quiere.*

7. Sustituye los nombres subrayados por los pronombres correspondientes.

1. ¿Dónde has comprado *ese jarrón*?
   ¿Dónde lo has comprado?
2. ¿Quién te ha regalado *ese libro*?
3. Lleva *las llaves* a Ángel.
4. He dado *el recado* a Pedro.
5. ¿Me has traído *los pantalones*?
6. He perdido *el paraguas*.
7. Le compraron todos *sus cuadros*.
8. Acércame *la jarra*, por favor.
9. Virginia ha invitado *a sus amigos* a su cumpleaños.
10. Llamé a *Alejandro* ayer por la tarde.
11. Lee *las cartas a tus padres*.
12. Compré *a mis hijos un ordenador*.
13. ¿Has leído *a los niños los cuentos*?

11 A

B. ¡Me encanta ir de compras!

1. Comenta con tus compañeros.

¿Está el ir de compras entre tus actividades favoritas?

¿Te gusta ir de compras solo o acompañado?

¿Cuánto tiempo utilizas al mes para ir de compras?

2. Lee el siguiente texto y contesta las preguntas.

¿Te apetece ir de compras?

Para algunas personas el ir de compras es un placer, mientras que para otras se convierte en un auténtico suplicio. ¿Se encuentra usted entre alguna de ellas? Cuatro ciudadanos nos han contestado a esta pregunta.

Natalia, 19 años, soltera.
Natalia vive con su madre en Barcelona y confiesa que le encanta la moda. Todas las semanas se da un paseo por sus tiendas preferidas y reconoce gastarse bastante dinero en ropa. Se define como una compradora compulsiva. "Veo las revistas de moda pero no las sigo al pie de la letra. Entre los amigos no hablamos mucho de moda. Yo creo que a mí me gusta más que a la mayoría".

Juan, 31 años, casado.
Juan trabaja como agente de seguros en Bilbao y es un comprador de comportamiento racional. "Trabajo de comercial, y la imagen es muy importante". A la hora de comprar, Juan no compra mucho, sólo lo que necesita. Aprovecha las rebajas para comprar y no le importa buscar hasta que encuentra lo que quiere. "Si necesito unos vaqueros, puedo recorrer cinco tiendas hasta dar con lo que quiero".

Ana, 39 años, casada.
"Me gusta mucho ir de compras, pero depende de con quién vaya. Cada vez que lo intento con mis hijos es una auténtica pesadilla. Tampoco me gusta ir de compras con mi marido, porque siempre tiene prisa y todo le parece un poco caro. Prefiero ir con mis amigas o sola".

Alberto, 56 años, casado.
"La verdad es que no me gusta demasiado ir de tiendas. Suelo hacer una compra en primavera y otra en otoño". Alberto prefiere ir a establecimientos donde le conozcan. Se deja aconsejar por su mujer y rara vez va a comprar solo. Las marcas, asegura, no le interesan mucho y se fija sobre todo en la calidad.

1. ¿Con qué frecuencia suele ir Natalia de compras?
2. ¿Cuánto se gasta en ropa?
3. ¿Qué tipo de compradora se considera a sí misma? ¿Por qué?
4. Como comprador, ¿cómo se define Juan a sí mismo? ¿Por qué?
5. ¿Cuándo suele ir de compras Juan?
6. ¿Es un comprador paciente? ¿Por qué?
7. ¿Con quién no le gusta a Ana ir de compras?
8. ¿Le gusta a Alberto ir de compras?
9. ¿En qué época del año suele comprar Alberto?
10. ¿Qué busca Alberto en la ropa que compra?

GRAMÁTICA

INDEFINIDOS
POCO, UN POCO, MUCHO, BASTANTE, DEMASIADO

- **Poco / un poco**
  - *Poco, poca, pocos, pocas + nombre.*
    Tengo **poco** dinero para ir de compras. Mejor lo dejamos para más adelante.

  - *Un poco de + nombre.*
    He ahorrado **un poco de** dinero y me quiero comprar un coche.

  - *Poco + adjetivo.*
    Clara es **poco** aficionada a ir de compras. Prefiere gastarse el dinero en otras cosas.

  - *Un poco + adjetivo.*
    Todo le parece **un poco** caro. No me deja comprar nada.

- **Mucho**
  - *Mucho / -a / -os / -as + nombre.*
    A **mucha** gente no le gusta ir de compras.

  - *Mucho (adverbio).*
    A mí no me gusta **mucho**.

- **Bastante / demasiado**
  - *Bastante / demasiado + adjetivo.*
    Esa tienda es **demasiado** cara.
    Estas rebajas son **bastante** buenas.

  - *Bastante, -s / demasiado, -a, -os, -as + nombre.*
    Me compro **bastantes** libros.
    Hay **demasiados** clientes en esta tienda.

11
B

3. Elige el indefinido correcto.

1. He comprado *bastante / bastantes* ropa.
2. Tengo *pocos / un poco* pantalones.
3. Creo que son *demasiado / demasiados* caros.
4. No tengo *mucho / muchos* dinero.
5. Te voy a preparar una mermelada muy rica. He traído un *poco de / poco* fruta de mi pueblo.
6. Casi gano la carrera, pero los otros corredores corrían *muchos / mucho* más.
7. Los exámenes han sido *demasiados / demasiado* difíciles.
9. Hay *mucha / muchas* gente en este establecimiento.
10. Cierra la ventana. Hace un *poco de / poca* corriente.

4. Completa las frases con un elemento de cada columna.

A	B
bastante	huevos
bastantes	dinero
demasiado	horas
demasiada	agua
demasiados	responsabilidad
demasiadas	tiempo

1. Estoy contento, no he gastado *demasiado dinero* estas vacaciones.
2. Me duele la cabeza. He dormido _____.
3. No tengo _____, pero puedo esperar un rato.
4. A. Dime si las plantas están bien regadas.
   B. Sí, tienen _____.
5. No puedo hacer la tortilla. No hay _____.
6. _____ en el trabajo es mala para la salud.

1. Lee el texto y señala V o F. Corrige las que no sean V.

La tienda Zara en Niza

Amancio Ortega, el millonario dueño de Zara

Amancio Ortega, el fundador y presidente del imperio textil Zara, es uno de los hombres más ricos de España y está entre los empresarios más valorados.

La firma *Zara* nació en 1963 con la apertura de su primera fábrica y en 1975 inauguró la primera tienda. Actualmente, ocupa las principales áreas comerciales de las principales ciudades de Europa, América y Asia.

Amancio Ortega nació en Busdongo de Arbas (León), en 1936, y llegó a Coruña cuando era un niño, junto con sus tres hermanos. Empezó a trabajar muy joven. A los 14 años entró como repartidor en una camisería, y poco después fue contratado en una mercería, donde ya estaban sus hermanos y la que fue su primera esposa. En esta tienda, además de adquirir conocimientos básicos sobre tejidos, tuvo las primeras ideas para su primer negocio: las batas guatea-das. A Ortega se le ocurrió fabricarlas con menos costes, distribuirlas y venderlas directamente. Esta idea fue el origen de Zara.

Zara se transformó en una gran empresa, siempre con la idea de "moda a bajo precio", que es lo que le ha permitido expandirse internacionalmente.

Su empresa tiene una asombrosa capacidad de respuesta a los cambios de los gustos de los consumidores. En pocas semanas es capaz de hacer llegar a sus tiendas las nuevas tendencias de la moda. Esta rapidez en atender al público le ha permitido situar esta empresa en los primeros puestos de la industria española.

Amancio Ortega actualmente está casado con la que fue su secretaria durante varios años. Su pazo, su embarcación, sus caballos y una colección de pintura están entre sus pasiones conocidas.

El Mundo (23-9-2005), texto adaptado

1. Amancio Ortega es fundador de Zara. ☑

2. Amancio Ortega nació en 1963. ☐

3. Zara vende su ropa en casi todo el mundo. ☐

4. Amancio Ortega tuvo su primer trabajo en una mercería. ☐

5. Conoció a su mujer en su trabajo. ☐

6. Inventó un tipo de vestimenta para la mujer. ☐

7. Uno de los aciertos de Zara es la distribución lenta del producto. ☐

8. Le gustan mucho los animales. ☐

VOCABULARIO

2. Relaciona las definiciones con las palabras.

a. presidente. b. empresario. c. mercería. d. precio.
e. distribuir. f. empleado. g. fábrica. h. millonaria
i. director. j. consumidor.

1. Persona que toma a su cargo una empresa.   [A]
2. Tienda donde venden hilos y botones.   ☐
3. Persona que consume productos.   ☐
4. El propietario de una empresa.   ☐
5. Cantidad que se paga por algo.   ☐
6. Repartir en el destino conveniente.   ☐
7. Persona elegida formalmente para
   un puesto de trabajo.   ☐
8. Lugar donde se fabrica una cosa.   ☐
9. Persona que posee mucho dinero.   ☐
10. Quien dirige una empresa.   ☐

GRAMÁTICA

USO DE LOS ARTÍCULOS

Artículos determinados (*el, la, los, las*)

● Cuando hablamos de algo que conocemos.

*Voy a **la** tienda de mi hermana.*

● Con el verbo gustar y con todos los verbos que
llevan *le*.

*Le gustan **los** juegos de ordenador.*

● Con nombres de partes del cuerpo, objetos personales o ropa, en lugar del posesivo.

*Me duele **la** (~~mi~~) cabeza.*
*Clara, lávate **las** (~~tus~~) manos.*

● A veces se puede eliminar el sustantivo y dejar el
artículo.

*–¿Quién es **el** presidente?*
*–**El** (hombre) de la barba.*

Artículos indeterminados (*un, una, unos, unas*)

● Cuando se habla de algo por primera vez.

*Me he comprado **un** vestido nuevo.*

● Para hablar de una cantidad aproximada.

*Había **unas** mil personas.*

No se usa artículo

● Cuando se habla de una profesión, excepto si va
con un adjetivo.

*Mi vecino es escritor. **Un** escritor muy famoso.*

● Tras las preposiciones *de, con, sin*:

Tengo dolor de estómago.

3. Selecciona el artículo correcto (Ø es ausencia de
artículo).

1. Ayer fui de (la / una / Ø) visita a casa de (los / unos /
   Ø) compañeros que tú no conoces.
2. Fernando Alonso es (un / el / Ø) piloto de Fórmula 1.
   Es (un / el / Ø) piloto muy conocido en todo el
   mundo.
3. ¿Sabes que Ángel juega muy bien a (el / un / Ø)
   tenis?
4. A (unos / los / Ø) niños les gustan mucho (las /
   unas / Ø) golosinas.
5. (unas / las / Ø) diez mil personas acudieron a (el /
   un / Ø) partido del Real Madrid.

PRONUNCIACIÓN Y ORTOGRAFÍA

TRABALENGUAS

1. Dicta estos trabalenguas a tu compañero. Después
escucha la grabación y apréndelos de memoria.
46 🔘

1. Pablito clavó un clavito.
   ¿Qué clavito clavó Pablito?

2. Pancha plancha con cinco
   planchas.
   Con cinco planchas Pancha plancha.

3. Perejil comí
   perejil cené
   y de tanto perejil
   me emperejilé.

4. Tres tristes tigres
   comen trigo en un trigal.

**11
C**

D. Escribe

UNA CARTA DE RECLAMACIÓN

1. ¿Has necesitado alguna vez escribir una carta de reclamación? ¿Cuál fue el motivo?

2. Con tus compañeros, elabora una lista de posibles motivos para escribir cartas de queja y de reclamación.

3. Lee la carta.

4. Ordena las afirmaciones según aparecen en el texto.

- a. La señorita Joana no se portó correctamente. ☐
- b. La clienta está muy enfadada. ☐ 1
- c. Los pantalones no estaban bien reformados. ☐
- d. La señorita Silvia le tomó las medidas para acortarlos. ☐
- e. La clienta espera que le devuelvan el dinero de la compra. ☐

Cuando escribimos cartas de reclamación hay que tener en cuenta varios consejos.

- Utiliza un lenguaje formal y educado, aunque estés muy enfadado.
- Explica claramente cuál es el motivo de la queja.
- Di qué esperas conseguir exactamente.

Modas Belén
Paseo de las Acacias, 16
Córdoba

Córdoba, 16 de octubre

Muy señora mía:

Me dirijo a usted para expresarle mi disgusto por el mal trato y el mal servicio que he recibido en su tienda.

El pasado 10 de octubre compré unos pantalones marrones de pana en su tienda, y me atendió la señorita Silvia Martínez. Los pantalones eran de mi talla, pero me quedaban largos, así que era necesario acortarlos. La señorita Silvia me tomó las medidas oportunas. Yo pagué los pantalones y quedé en volver a recogerlos tres días más tarde.

Cuando volví a recogerlos no estaba la señorita Silvia, sino otra dependienta, la señorita Joana Moreno. Me probé los pantalones y me quedaban demasiado cortos. En ese momento le pedí que me devolviera el dinero, ya que no iba a llevármelos. La señorita Joana me respondió (no muy amablemente) que no era posible la devolución del dinero una vez reformados los pantalones.

Por todo esto me dirijo a usted, primero para quejarme del trato desconsiderado de la señorita Joana y, en segundo lugar, para exigirle la devolución del dinero pagado, ya que es obvio que los pantalones no me sirven para nada.

Esperando una solución a mi demanda, se despide atentamente,

Celia Izquierdo

5. Completa los huecos de este fragmento de una carta de reclamación.

habitación – exijo – en – importe – que – indemnización – estrellas

En la agencia nos dijeron que nos alojaríamos _____ un hotel de cuatro _____, pero cuando llegamos al hotel Marina Alta encontramos _____ no teníamos en la _____ nevera ni aire acondicionado y, además, las ventanas daban al patio de la cocina.

Por esta razón le _____ que nos devuelvan el _____ del hotel, más una _____ por las molestias.

6. Escribe una carta de reclamación a una fábrica de mermelada porque en uno de sus productos has encontrado una mosca.

De acá y de allá

NAZCA

1. Mira las fotos y comenta con tus compañeros.

¿Has visto alguna vez las imágenes que representan las fotografías?

¿Sabes de qué se trata?

¿Has oído alguna opinión lógica que explique la existencia de las mismas?

2. Lee el texto y contesta las preguntas.

1. ¿Qué son las líneas de Nazca?
2. ¿En qué país están?
3. ¿Quién las encontró por primera vez?
4. ¿Quién ha sido la principal investigadora del fenómeno?
5. ¿Qué opina ella sobre el significado de las líneas?
6. ¿Qué opina el equipo de científicos e informáticos que ha estudiado todos los dibujos en conjunto?
7. ¿Qué distintas teorías existen sobre la forma en la que los nazcas realizaron las figuras?

Las líneas de Nazca

En Perú, a 400 kilómetros al sur de Lima y a 50 kilómetros de la costa del Pacífico, se extiende la meseta desértica de Nazca, cubierta de gran cantidad de dibujos y figuras geométricas que sólo pueden apreciarse desde el aire.

Fue en 1927 cuando un piloto peruano descubrió casualmente la increíble red dibujada en el suelo. En 1939 el arqueólogo americano Paul Kosok comenzó los estudios sobre las excavaciones.

Las líneas de Nazca están formadas por marcas de tres tipos diferentes: líneas rectas, en zig-zag o dibujos espirales que pueden alcanzar hasta unos 5 km de largo; figuras geométricas en forma de franjas de gran tamaño parecidas a "pistas de aterrizaje", y representaciones de animales que sobrepasan los 150 metros de largo.

Las figuras resurgieron en todo su esplendor gracias al trabajo de una matemática alemana llamada María Reiche.

¿Pero qué significan las líneas de Nazca? María Reiche piensa que las líneas rectas, que forman generalmente motivos solares que se entrecruzan, constituyen una especie de calendario astronómico que permite calcular fechas y estaciones. Sin embargo, un equipo de científicos e informáticos, que han estudiado el plan del conjunto de figuras geométricas y de representaciones de seres vivos, afirma que se trata de un calendario meteorológico.

¿Cómo pudieron los nazcas trazar dibujos tan perfectos sin verlos? María Reiche afirmó que lo hicieron agrandando "maquetas", de las que encontró huellas cerca de algunas figuras animales. El aeronauta inglés Julin Nott intentó probar que los nazcas sabían fabricar globos aerostáticos para supervisar el trazado de las figuras. Hipótesis osada, pero más sensata que la del suizo Erich von Daniken, para quien las "pistas" serían un aeropuerto rudimentario para extraterrestres que vinieron a visitar nuestro planeta en el pasado.

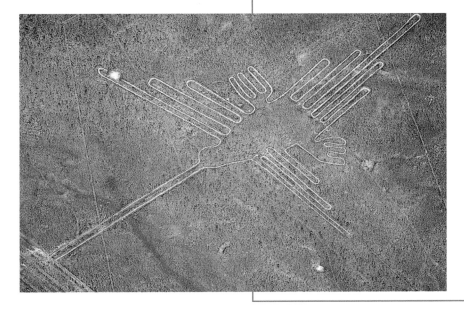

E. Autoevaluación

1. Describe cómo van vestidos estos dos personajes.

A. El hombre lleva...

B. La mujer lleva...

2. Localiza la palabra que no pertenece al grupo.

1. zapatos, pantalones, blusa, guantes, medias.
2. medias, blusa, falda, corbata, bolso.
3. traje, corbata, zapatos, jersey, medias.
4. bufanda, zapatos, botas, medias, calcetines.
5. sombrero, zapatos de tacón, pendientes, pañuelo, bufanda.

3. Completa el texto con las palabras del recuadro.

> tiendas – talla – moda – barato – ir de compras
> probártelo – marca – rebajas – queda bien

El mejor momento para (1)_____ es la época de (2)_____. Cuando todas las (3)_____ recortan sus precios. Todo es más (4)_____ ; algunas veces la diferencia es de hasta más de un 50%. Cuando compras algo de ropa debes (5)_____ para asegurarte de que es tu (6)_____ correcta y de que te (7)_____. También se rebajan los productos de (8)_____ y los de (9)_____ más actual.

4. Completa las frases y colócalas en el diálogo.

1. Y ese bolso ¿cuánto _____?
2. Oiga por favor, ¿tiene unos vaqueros de la _____ 42?
3. ¡Uy! Es muy _____. ¿Me lo deja un poco más _____?
4. No me _____ bien. Necesito una talla más.
5. Póngame las dos cosas, que me _____ llevo.

A. _____

B. Aquí tenemos uno de su talla. Pase por aquí al probador.

A. _____

B. Aquí los tiene. ¿Qué más quiere?

A. _____

B. Si se lleva las dos cosas se las dejo en 80 €.

A. _____

B. Bueno… Como estamos en época de rebajas se lo dejo en 60 €.

A. _____

5. Completa con pronombres de objeto directo.

1. A. ¿Has visto la última exposición de Barceló?
   B. Sí, _____ vi el sábado y me gustó mucho.
2. A. ¿Has hablado con tus hermanos últimamente?
   B. Sí, _____ llamé la semana pasada.
3. A. ¿Has preparado los macarrones?
   B. No, _____ prepararé más tarde.
4. A. ¿Sabes dónde están mis gafas?
   B. Sí, _____ vi encima de la mesa.
5. No pagues. Yo _____ invito.

6. Completa con los pronombres correspondientes.

1. A. ¿Quién te ha regalado ese reloj?
   B. _____ _____ ha regalado mi marido.
2. A. ¿Me dejas tu ordenador este fin de semana?
   B. No, _____ necesito yo. Pide___ _____ a Enrique.
3. A. Tengo mucha sed, ¿_____ traes un vaso de agua, por favor?
   B. Ahora mismo _____ _____ traigo.
4. A. ¿_____ has contado a Jorge la noticia?
   B. No, _____ _____ contaré mañana.
5. A. ¿Me has traído el libro que te encargué?
   B. Sí, ya _____ _____ he traído.

7. Corrige los errores en las siguientes frases.

1. He comprado bastantes cerveza.
2. Mis abuelos están un pocos sordos.
3. Muchas días hago deporte.
4. Había demasiado gente en la discoteca.
5. En mi pueblo hay muchas coches.
6. No he bebido bastantes agua.
7. He ahorrado muchos dinero este mes.
8. No me lo puedo comprar; es poco caro.
9. Tengo mucho amigos.
10. Demasiada horas de trabajo no son buenas.

8. Completa con un artículo determinado o indeterminado, si es necesario.

1. En esta tienda se venden _____ tejidos.
2. ¿Puede decirme dónde está _____ farmacia, por favor?
3. Mis vecinos son _____ mecánicos.
4. Hay _____ botella de leche en el frigorífico.
5. A finales de mes siempre estoy sin _____ dinero.
6. Ayer llamó por teléfono _____ señora Pérez.
7. He visto _____ casas de dos plantas preciosas.
8. ¡Oiga, por favor! ¿No tienen _____ boquerones fritos?
9. Era casi imposible comprar _____ entrada para el concierto. Pero al fin tengo _____.
10. El primo de Ana es _____ chico muy simpático.

9. Completa el texto con las palabras del recuadro.

guantes – calcetines – cálidos – jersey – vestirse
bufanda – botas – fríos – gorro – abrigo

La gente de países (1)_____ encuentra difícil imaginar cómo la gente de los países muy (2)_____ puede vivir y trabajar en los meses de invierno. Estas personas lo consiguen porque saben cómo (3)_____ para el frío. Primero, es muy importante mantener la cabeza, las manos y los pies calientes; por eso todo el mundo lleva (4)_____, (5)_____ de lana para mantener sus manos calientes, (6)_____ altos y unas (7)_____ de piel. Por supuesto tienen que llevar un buen (8)_____ y un (9)_____ de lana gorda debajo. Una (10)_____ alrededor del cuello también ayuda a protegernos del frío.

😃😐☹️ *Soy capaz de…*

☐ ☐ *Llevar a cabo unas compras.*
   Hablar un poco de economía.

☐ ☐ *Utilizar los pronombres personales de objeto directo e indirecto.*

☐ ☐ *Utilizar los artículos determinados e indeterminados.*

☐ ☐ *Escribir una carta de reclamación.*

12

12 A

1. Mira las fotos y contesta.

¿En qué país se celebran estas fiestas?

¿Qué están celebrando?

HABLAR

2. En grupos de 4, comenta con tus compañeros.

- ¿Cuáles son las tres fiestas más importantes en tu país? • ¿Qué se celebra en cada una de ellas? • ¿Son tradicionales o modernas? • ¿Qué se suele hacer en cada una de ellas? • ¿Hay regalos, desfiles militares, bailes, canciones...?

LEER

3. En la página siguiente tienes un texto sobre una fiesta peruana. Léelo y contesta las preguntas.

1. ¿Cuándo se celebra?
2. ¿Qué se celebra?
3. ¿Dónde se celebra?
4. ¿En qué consiste la fiesta?
5. ¿Desde cuándo se celebra?

4. ¿Qué título corresponde a cada párrafo?

1. Una fiesta popular. ☐
2. Un rito. ☐
3. Fiesta en Sacsayhumán, la fortaleza inca. ☐

INTI-RAYMI: CULTO AL SOL

El 24 de junio, en el solsticio de invierno en el hemisferio Sur, los peruanos honran al Sol, fuente de vida.

A Todos los cuzqueños esperan llenos de alegría el Inti Raymi o fiesta del sol. Se celebra en Sacsayhuamán, una antigua fortaleza inca a dos kilómetros de Cuzco. En las ruinas hay ese día una representación teatral donde un millar de actores recuerdan el culto de los incas a su dios. A las once de la mañana llegan los turistas y peruanos a la fortaleza y se instalan con su comida sobre las antiguas piedras. Los turistas que han pagado tienen derecho a un asiento.

B En el escenario se desarrolla la representación en un ambiente colorista y variado. El momento más importante se produce cuando el inca arranca el corazón de una llama y se lo ofrece al Inti (el sol). (El corazón es de trapo, claro). Mirando el estado del corazón, se sabrá lo bueno y lo malo que le espera al pueblo. Toda la obra se desarrolla en quechua, la lengua de los incas. Este rito fue prohibido por los españoles, y los peruanos lo han recuperado después, en 1944.

C Pero, además de la celebración de ese rito, el Inti Raymi es una fiesta popular donde todos se reúnen para comer, beber y divertirse. Los cuzqueños cavan unos hornos en la tierra, en los que se quema leña para asar papas. Y muchos hacen negocio vendiendo platos de arroz con *cui* (*conejo de indias*), mazorcas de maíz, algodón de azúcar, refrescos, llamas de trapo… en fin, una fiesta.

GRAMÁTICA

ORACIONES IMPERSONALES CON SE

Se quema leña para asar papas.

En mi pueblo el día del Corpus Christi se hacen alfombras de flores.

- Se utiliza esta estructura cuando el sujeto agente no se conoce o no interesa para el mensaje.
- Cuando conocemos el sujeto pasivo, el verbo concuerda con él en número.

  Se dan clases particulares de piano

  (= las clases particulares son dadas).

- Se utiliza en textos informativos impersonales, en textos de instrucciones, como recetas de cocina, y también para hablar de normas y costumbres.

5. Completa con el pronombre *se* + verbo en 3.ª persona del singular o plural

| vender (x 2) – terminar – escribir – hacer (x 3) oír – arreglar – vivir – trabajar |

1. Lo siento, esta casa no *se vende*.
2. Lo siento, señora, aquí no _____ relojes de pared antiguos.
3. Las obras de la autopista _____ en mayo del año que viene.
4. Aquí no _____ fotocopias de libros, está prohibido.
5. Oiga, ¿puede hablar más alto?, aquí, al final, no _____ nada.
6. Me voy de esta empresa porque no _____ nada por mejorar las condiciones.
7. Valencia _____ con v, no con b.
8. La paella _____ con aceite de oliva.
9. Este año _____ menos coches que el año pasado.
10. En mi pueblo _____ muy bien porque tiene buen clima y no _____ mucho.

ESCRIBIR

6. Escribe un pequeño artículo para una revista sobre una fiesta importante en tu ciudad o país.

12 A

1. En casa de los Martínez están preparando la cena de
Nochebuena. Lee los diálogos.

A. ¿Papá, mamá, os importa que traiga a Peter a cenar el
día de Nochebuena?
B. No hija, no, dile que venga.

A. ¿Abuela, quieres que te ayude?
B. No hace falta, gracias.

A. Abuelo, ¿te
importa bajar un
poco la tele?, está
muy alta.
B. Es que no la oigo
bien.

A. Carlos, ¿podrías bajar a comprar más turrón?, creo que no
hay suficiente.
B. Vale, ahora voy.

2. Responde.

1. ¿En qué diálogos se pide un favor?
2. ¿En qué diálogo se pide permiso?
3. ¿En qué diálogo se ofrece ayuda?

COMUNICACIÓN

Pedir un favor

- *Te / Le importa* + infinitivo

  ¿Te importa bajar la voz?, hablas muy alto.

- *Podría(s)* + infinitivo

  ¿Podría cambiarme este billete de 50 €?

Pedir permiso

- *Te / Le importa* + *que* + subjuntivo

  ¿Le importa que me siente aquí?

Ofrecer ayuda

- *Quiere(s)* + *que* + subjuntivo

  ¿Quieres que vaya contigo al médico?

3. Ofrece ayuda en las siguientes situaciones.

1. Unos amigos tienen un niño pequeño y no pueden salir nunca al cine.
¿Queréis que me quede con Carlos?

2. Una compañera de piso tiene fiebre y necesita un medicamento.
3. Un compañero de trabajo tiene que terminar un informe y va muy atrasado.
4. Un compañero de clase no entiende un punto gramatical.
5. Tus padres se van de viaje y tienen que ir al aeropuerto en poco tiempo.

4. Pide permiso o un favor en estas situaciones.

1. Estás de visita en casa de un amigo. Le pides que te preste un libro que te interesa mucho.
¿Podrías prestarme este libro?, tengo ganas de leerlo.

2. Estás en tu casa, tu nuevo compañero de piso tiene la tele muy alta.

3. Tu vecina del quinto es mayor y lleva varias bolsas de la compra.
4. Tienes una cena de compromiso y no tienes con quién dejar al niño. Llama a tu hermana y pídele que se quede con él.
5. En la oficina, le pides permiso al jefe para salir antes de la hora. Explica por qué.
6. En el hotel, pides permiso para dejar la maleta en la habitación hasta una hora determinada.

LEER

5. Virginia, una estudiante chilena, nos ha contado cómo celebran la Navidad en su país. Lee el texto y complétalo con las expresiones del recuadro.

> ensaladas y pavo – lleno de regalos
> trozos de algodón – cada uno ha pedido
> dejar los regalos – frutos secos

NAVIDAD EN CHILE

Los componentes principales de la Navidad chilena son el viejito pascuero, el pan de pascua, la bebida llamada cola de mono y el calor.

Nuestro viejito pascuero tiene una gran barriga y una barba blanca, viene con un traje rojo y el saco _____(1). Entra en las casas por la chimenea o las ventanas para _____(2).

Las familias cenan _____(3) y beben *cola de mono*, que es una especie de ponche hecho de pisco o aguardiente, café con leche, azúcar y canela. Tampoco falta el pan de pascua, una masa alta horneada, rellena de frutas confitadas, pasas y _____(4), que se puede encontrar en cualquier esquina y en todas las confiterías.

Los niños dejan los zapatos debajo del árbol de Navidad, adornado con _____(5), que recuerdan a la nieve, y bolas de colores. Después de la medianoche el viejito pascuero dejará en los zapatos los regalos que _____(6).

La calurosa Navidad chilena dura hasta el cinco de enero. A partir de ahí empiezan las vacaciones de verano, el calor y la playa.

6. Escucha y comprueba. **47**

1. Sonia es una joven de Cádiz que quiere ser cantante. Con ese objetivo se presentó al *casting* del concurso de televisión "Operación Triunfo". Mira la foto y piensa: ¿Cómo crees que es? ¿Qué cosas le gustan?

2. Estas son algunas respuestas que ha dado a la encuesta que le hemos hecho. ¿A qué preguntas corresponden?

a. **Mi madre.**	1
b. **Mi dormitorio.**	—
c. **La paella.**	—
d. **Inglés y un poco de francés.**	—
e. **Que no sea sincera.**	—
f. **El pop y la música romántica.**	—
g. **A la India.**	—
h. **A la muerte.**	—

3. Escucha la entrevista y completa las respuestas que faltan. **48**

4. Hazle las mismas preguntas a un compañero. Pídele detalles.

SONIA, CANTANTE

1 ¿Quién es la persona de tu familia que más admiras?
Mi madre.

2 ¿En qué parte de la casa te sientes más cómoda?
_____.

3 ¿Sabes cocinar?
_____.

4 ¿Cuál es tu plato preferido?
_____.

5 ¿Te gustan los animales?
_____.

6 ¿A qué lugar del mundo te gustaría viajar?
_____.

7 ¿Qué tipo de música escuchas normalmente?
_____
_____.

8 ¿Quién es tu actor/actriz preferido?
_____.

9 ¿Cuántos idiomas hablas?
_____.

10 ¿Qué haces cuando estás nerviosa?
_____.

11 ¿Qué es lo que más te molesta de la gente?
_____.

12 ¿A qué tienes miedo?
_____.

13 ¿Cuál es tu principal virtud?
_____.

14 ¿Cuál es tu principal defecto?
_____.

15 ¿Qué planes tienes para las vacaciones del año próximo?
_____
_____.

16 ¿Qué te gustaría hacer cuando te jubiles?
_____
_____.

12 C

GRAMÁTICA

ADVERBIOS

- Usamos los adverbios para describir un verbo, un adjetivo u otro adverbio.

  *Rafa canta **maravillosamente**.*

  *La tele está **demasiado** alta.*

  *El accidente ocurrió **demasiado rápidamente** y no me enteré de nada.*

- Los adverbios que describen las acciones verbales pueden indicar tiempo, modo, lugar o cantidad.

  *Eduardo **nunca** ha estado en una discoteca.*

  *Rosalía vive **cerca**.*

- Muchos de los adverbios de modo se forman añadiendo el sufijo –**mente** a un adjetivo.

  rápido > **rápidamente** / *final*> **finalmente**

5. Añade un adverbio del recuadro en el lugar adecuado.

> perfectamente – sorprendentemente
> próximamente – inmediatamente – profundamente
> rápidamente – amablemente

1. Este profesor es muy exigente, pero su examen fue *sorprendentemente* fácil.
2. No grites, te oigo
3. Alex, ven aquí
4. Dicen que van a abrir un nuevo centro médico en nuestro barrio
5. La dependienta me atendió
6. Después de tomar el biberón, el bebé se durmió
7. Llamamos a la ambulancia, que vino

6. Subraya la opción adecuada.

1. A. ¿Qué tal tu padre?
   B. *Bien / bueno*, gracias.
2. No me siento *bien / buen,* he comido *mucho / muchos* bombones.
3. Los coches van muy *despacio / tranquilos* porque ha habido un accidente.
4. Ya no quiero más libros, tengo *demasiado / demasiados.*

5. La médica llegó *rápida / rápidamente* al hospital.
6. Escríbeme *pronto / temprano*.
7. La fiesta del sábado estuvo muy *bien / buena*.
8. Esa frase está *mal / mala*.
9. Espero que tengas un *buen / bien* año nuevo

7. Relaciona los verbos y adverbios. Hay más de una combinación posible.

1. Respirar — B
2. Hacer algo — ☐
3. Actuar — ☐
4. Venir — ☐
5. Ver — ☐
6. Mirar — ☐
7. Aprender — ☐
8. Conducir — ☐
9. Comer — ☐

a. tranquilamente. b. profundamente.
c. inmediatamente. d. rápidamente. e. lentamente.
f. directamente. g. correctamente. h. perfectamente.

8. Con tu compañero, piensa situaciones y frases donde se utilicen estas expresiones.

Por ejemplo, en el médico:
Respire profundamente

PRONUNCIACIÓN Y ORTOGRAFÍA

1. Aquí tienes unos mensajes del móvil de Sonia. Escríbelos correctamente.

A. Hl feo! Cm t va td? Yo voy nl bus de kmin a la uni. T ap q ns tomms 1 kfé?
1 bs.

B. Papá, toy nla biblio y tardaré 1 mdia hra. Lug ns vmos.
1 bs.

C. Vms al cin sta tard? Qiro vr l sñr d ls anlls.

D. Hl, q tl? No pud ir ctigo al cin. Mñna tngo un xamn de Mats. Ns vms l luns.

E. H!, jose! L sient, xo no t pued yamr xp no tng bateria. Cand y ge a ksa t yam y ablmos.

2. Escucha y comprueba. **49** 🔘

D. Escribe

UNA REDACCIÓN

1. ¿Crees que es necesario escribir redacciones para aprender español? Discútelo con tus compañeros.

Organización

Además de la lengua utilizada, lo más importante en una redacción es la organización, tanto de la forma como de las ideas. La estructura más general de una redacción sobre un tema es

a. **Introducción:** una afirmación general.

b. **Argumentos a favor:** razones y ejemplos.

c. **Más argumentos a favor o argumentos en contra:** razones y ejemplos.

d. **Conclusión:** resumen y opinión propia.

Procedimiento

Antes de empezar a escribir debes tener una lista de ideas sobre el tema. Luego redacta un borrador. A continuación, revísalo con ayuda del diccionario y de una gramática. Por último, pásalo a limpio.

2. Vamos a escribir una redacción sobre el siguiente tema:

Nuestros bisabuelos vivían mejor que nosotros

En grupos de 4. Discutid el tema y recoged las ideas en dos columnas.

NUESTROS BISABUELOS	NOSOTROS
No tenían Internet.	Tenemos más posibilidades de estudiar.

3. Compara las ideas con el resto de la clase. Completa tu lista con ideas de los otros.

4. Relaciona cada uno de los párrafos siguientes con uno de los apartados de la redacción.

En fin, yo creo que a pesar de la contaminación y de la vida artificial, nosotros tenemos más oportunidades que nuestros abuelos. **D**

La gente mayor suele decir que antes se vivía mejor que ahora. ☐

Por otro lado, antes la comida era más natural, no tenía tantos conservantes como ahora. ☐

Ahora, gracias a los adelantos, podemos viajar en pocas horas a cualquier lugar del mundo. ☐

5. Escribe una redacción de unas 150 palabras sobre el tema anterior. Utiliza los conectores apropiados.

Introducción

Mucha gente piensa / dice…
Este tema es polémico porque…
Para empezar, tengo que decir que…

Argumentación

En primer lugar…, en segundo lugar…, por último…
Por una parte / por otra parte...
Sin embargo / no obstante...
Antes…, ahora, en cambio...
Además...
Aunque...
Por ejemplo...

Conclusión

En resumen…, para terminar…,
En fin, yo pienso que...

1. ¿Qué sabes del pueblo azteca? Antes de leer, señala si la información es V o F.

1. Los aztecas fundaron Lima. ☐
2. El imperio azteca se extendía por Centroamérica y llegaba hasta las costas del Pacífico. ☐
3. El jefe azteca era militar y religioso al mismo tiempo. ☐
4. Hernán Cortés fue un caudillo azteca. ☐
5. La base de su alimentación era el trigo. ☐
6. Los aztecas eran buenos astrónomos ☐

2. Lee la información y comprueba si tus respuestas son acertadas.

Los aztecas

El zócalo* de la Ciudad de México es hoy una de las plazas más grandes del mundo. Ese entorno urbano fue el corazón de una ciudad llamada Tenochtitlan, capital de un imperio que se extendió desde las costas del Pacífico hasta Centroamérica.

Los aztecas procedían de un lugar llamado Aztlan (lugar de las garzas), una isla en medio de una laguna en el norteño Estado de Nayarit. Durante más de trescientos años deambularon siguiendo los cauces de los ríos, pescando y cazando, hasta llegar a lo que hoy se conoce como Valle de México, para edificar Tenochtitlan.

Tenochtitlan se comenzó a construir en 1345, en un islote abandonado a las orillas del lago de Texcoco, precisamente en el mismo lugar, según la leyenda, en donde los aztecas vieron una señal expuesta por el dios Huitzillopochtli: un águila sobre un nopal, devorando una serpiente. Esta escena aún puede verse representada como escudo de la bandera mexicana.

Los aztecas o "mexicas" fueron maestros en la construcción de templos con forma de pirámide, y sus avanzados conocimientos en matemáticas y astronomía los encontramos en su célebre calendario, compuesto por un año de dieciocho meses, de veinte días cada uno, más otros cinco complementarios. Su economía se basaba principalmente en la agricultura. Cultivaban maíz, camote, tabaco y hortalizas. Además, inventaron el chocolate, extraído del árbol del cacao

Los aztecas también fueron hábiles guerreros que sometieron a la mayoría de los pueblos de su entorno. El apogeo de su dominación territorial coincidió con la llegada de los ejércitos españoles, en 1519, comandados por Hernán Cortés. El capitán español, con más estrategia que fuerza militar, detuvo a Moctezuma (caudillo de los aztecas) y dos años más tarde logró destruir Tenochtitlan. Con las piedras de las grandes pirámides se construyeron la catedral y los palacios de una nueva ciudad colonial que ocultó bajo tierra muchos vestigios de la cultura azteca, que han sido redescubiertos mucho tiempo después.

*Zocalo: nombre que reciben las plazas en México.

3. Responde a las preguntas.

1. ¿Cómo se llamó la ciudad construida por los aztecas?
2. ¿Quién era Hernán Cortés? ¿Qué hizo?
3. ¿Quién era Moctezuma?

4. ¿De dónde procede el chocolate?
5. ¿Qué forma tienen los templos aztecas?
6. ¿En qué consiste el calendario azteca?

12
D

1. Mira estas frases. Algunas son correctas y otras no. Corrige las incorrectas.

1. Vivo en París desde dos años.
   Vivo en París desde *hace* dos años.

2. Ernesto estudiaba tres años en la Universidad de Sevilla.
   _____

3. Mi abuelo ha muerto en 1977.
   _____

4. A Lucía le caen mal los vagos.
   _____

5. Luis llega en casa a las 9 de la noche.
   _____

6. Cuando llegamos a la estación, el tren ya salió.
   _____

7. ¿A qué hora sale el tren para Barcelona?
   _____

8. Mi amigo Paco es alto y un poco calvo.
   _____

9. Rosa no enfada casi nunca, es muy amable.
   _____

10. No me gusta la gente que no dice la verdad.
    _____

11. En mi empresa buscan a alguien que tenga conocimientos de chino.
    _____

12. Aquí no vive nadie que se llama Luis.
    _____

13. Ana ha empezado trabajar en una tienda de ropa.
    _____

14. Cuando era niño no me gustó estudiar, pero ahora sí.
    _____

15. He comprado manzanas para que Luis prepara una tarta.
    _____

16. Mila, no pongas los zapatos ahí.
    _____

17. Si te duele más tiempo la cabeza, es conveniente que vas a ver al médico.
    _____

18. China es país más poblado del mundo.
    _____

19. Si podría, iría a ver la película, pero no puedo.
    _____

20. Cuando voy al trabajo todos los días me encuentro con Andrés en la calle.
    _____

21. Elena llamó y preguntó cuánto nos había costado la televisión nueva.
    _____

22. Pablo, la profesora dice que vas a su mesa ahora mismo.
    _____

23. Papá, mamá dijo que hoy hicieras tú la cena.
    _____

24. A lo mejor vayamos este año a París.
    _____

25. Óscar, en mi mesa hay una carpeta, tráeme, por favor.
    _____

VOCABULARIO

2. Señala la palabra intrusa.

1. *billete* - tren – barco – avión.
2. enfadarse – reírse – preocuparse – casarse.
3. sincera – generosa – alta – tímida.
4. nacer – divorciarse – casarse – venir.
5. infeliz – irresponsable – útil – deshonesto.
6. lechuga – mejillones – zanahorias – coliflor.
7. queso – yogur – flan – carne.
8. garbanzos – salchichas – lentejas – alubias.
9. acupuntura – fitoterapia – antibióticos – yoga.
10. cordillera – carretera – mar – desierto.
11. río – isla – Nilo – cañón.
12. helicóptero – bicicleta – autopista – avioneta.

3. Relaciona:

1. dulce   a. sencillo
2. complicado   b. ocupado
3. libre   c. fácil
4. cansado   d. antiguo
5. tacaño   e. salado
6. difícil   f. moderna
7. moderno   g. relajado
8. clásica   h. generoso

4. Subraya el verbo más adecuado.

PLÁCIDO DOMINGO

Yo *nací / nacía* en Madrid, en la calle Ibiza. En la misma casa *vivíamos / vivieron* mis padres, cuatro tíos, mi hermana y yo. Nosotros *íbamos / fuimos* todos los días a un colegio que *estaba / estuvo* cerca del Retiro. Mi padre *fue / era* actor y yo lo recuerdo interpretando *El caballero de Gracia*, porque muchas veces nos *llevaban / llevaron* al teatro. Cuando yo *tenía / tuve* ocho años nos *fuimos / íbamos* todos a México. Allí los niños normalmente *llevaban / llevaron* pantalón corto y por eso un día *tenía / tuve* una pelea con unos chicos mexicanos.

Empecé / empezaba a tocar el piano desde muy pequeño, el primer año que *llegué / llegaba* a México. *Canté / cantaba* por primera vez el 14 de abril de 1958 cuando yo *tenía / tuve* 15 años. Antes, mi hermana y yo habíamos *actuado / actuaba* en pequeños papeles porque el teatro *era / fue* de mis padres.

Mis padres *eran / fueron* encantadores, siempre me ayudaron en mi carrera.

5. lee y completa con las palabras del recuadro.

> la madrugada – diciembre – millares
> mejores – nuevo – la costumbre – los turrones
> las campanadas

Nochevieja

Se llama Nochevieja la noche del 31 de _____(1), cuando se despide el año viejo y se recibe el _____(2). Los españoles ese día tienen _____(3) de tomar doce uvas a las doce de la noche, una uva con cada campanada del reloj. Antes de eso, las familias se reúnen para cenar juntas. La cena puede consistir en cordero, pavo o mariscos, acompañado todo de vino. De postre, no pueden faltar _____(4) y mantecados típicos de las Navidades.

Unos minutos antes de las doce, toda la familia se prepara para tomar las uvas, generalmente delante de la televisión, que ese día transmite _____ _____(5) del reloj de la Puerta del Sol de Madrid. Otra gente prefiere tomarlas al aire libre, delante del Ayuntamiento de su pueblo o ciudad.

Sin duda, el lugar más emblemático para recibir el Año Nuevo es la Puerta del Sol, donde _____(6) de personas se reúnen para vivir el momento en directo. Al terminar las campanadas (y las uvas), se abren las botellas de cava y todos se felicitan y se desean los _____(7) deseos para el Año Nuevo.

Por su parte, los jóvenes salen de casa para asistir a alguna fiesta y bailar hasta la _____(8).

Para reponer fuerzas, se suele desayunar chocolate con churros, antes de irse a dormir.

12 E

😃😐☹️ *Soy capaz de...*

☐ ☐ ☐ *Hablar de fiestas tradicionales.*

☐ ☐ ☐ *Pedir un favor formalmente.*

☐ ☐ ☐ *Pedir permiso formalmente.*

☐ ☐ ☐ *Escribir una redacción.*

SGEL

ele

Español Lengua Extranjera

e*

Diplomas de
Español como
Lengua
Extranjera

Modelo de Preparación al DELE Inicial

Este examen sigue el modelo propuesto por el Instituto Cervantes en sus exámenes oficiales.

▪▪▪ PRUEBA 1. **INTERPRETACIÓN DE TEXTOS ESCRITOS**

▪▪▪ PRUEBA 2. **PRODUCCIÓN DE TEXTOS ESCRITOS**

▪▪▪ PRUEBA 3. **INTERPRETACIÓN DE TEXTOS ORALES**

▪▪▪ PRUEBA 4. **CONCIENCIA COMUNICATIVA**

PRUEBA 1. INTERPRETACIÓN DE TEXTOS ESCRITOS

Parte número 1

Instrucciones

A continuación encontrará usted un texto y unas preguntas sobre él.

Lea el texto y marque la opción correcta.

FRANKLIN GUAYTA, PANADERO

¿Conoce las "trenzas de dulce" y el "pan de leche el enrollado"? Son nombres de panes ecuatorianos que ahora también se venden en Madrid. Hace dos años Franklin Guayta alquiló un local en un barrio de la capital, con un cartel que decía "Ecuapan". Actualmente, con ese mismo nombre existen varias panaderías más en Madrid y en Murcia. Franklin dice que ha seguido a los ecuatorianos allá donde viven. A pesar de su éxito, no quiere mecanizar su producción, prefiere seguir amasando el pan con las manos, como le enseñó su padre. De esta manera da trabajo a más de veinte personas.

Todo empezó en la primera tienda que abrió: en un solo Día de Difuntos vendió doce mil "muñecas de pan". Llegaron los periodistas, le hicieron un reportaje y empezó a ser conocido. Luego abrió otras tiendas en los lugares en los que vive la gente de su país y rápidamente el negocio se convirtió en casi un "imperio" de panaderías.

Franklin explica que llegó a España hace diez años y que siempre ha trabajado mucho. También nos habla muy bien de su familia, su esposa, su hija y un hermano que trabajan con él.

(Adaptado de *Madrid Latino*)

PREGUNTAS

Según el texto:

1. a) Las trenzas de dulce son de Madrid.
   b) Franklin Guaytan abrió su primera tienda hace dos años.
   c) Franklin se ha trasladado a vivir a Murcia.

2. a) Las panaderías de Franklin funcionan con los últimos adelantos tecnológicos.
   b) Hoy día Franklin es propietario de una cadena de panaderías.
   c) Franklin se trajo a su padre a trabajar con él.

3. a) Franklin se hizo famoso por un artículo en la prensa.
   b) Los Días de Difuntos vende más dulces que nunca.
   c) Franklin vive con otra gente de su país.

4. a) Este panadero ecuatoriano echa de menos a su familia.
   b) Franklin y su familia no se llevan bien.
   c) Franklin lleva en España diez años.

Instrucciones

A continuación le presentamos una serie de textos breves.

Conteste a las preguntas que se le hacen.

TEXTO A

Julia: Han llamado de la librería y han dicho que ya tienes el diccionario que habías encargado. Puedes pasar a recogerlo a partir de hoy. Cuesta 34€.

Un beso,

tu madre.

4. Según la nota, Julia va a ir a recoger el libro hoy.

Verdadero ☐

Falso ☐

TEXTO B

Se precisa **COCINERO**

PARA RESTAURANTE VEGETARIANO

Se requiere:
- Experiencia en cocina vegetariana.
- Buen carácter.

Se ofrece:
- Sueldo fijo.
- Buen ambiente de trabajo.

5. Según el anuncio, los candidatos deben tener una personalidad agradable.

Verdadero ☐

Falso ☐

TEXTO C

> ## La compañía *Hilando Títeres*
> presenta en el Teatro de Títeres del parque del Retiro la obra
> *Las aventuras de Alicia en el país de las maravillas.*
>
> Días: Sábado 11 y domingo 12 • Precio: Gratis • Hora: 12.30

6. Según el anuncio, se puede ver la actuación sin pagar nada.

Verdadero ☐

Falso ☐

TEXTO D

> ### ESCUELA DE IDIOMAS DE GRANADA
> ## *III Concurso Literario*
>
> El Departamento de Español de la Escuela convoca el tercer concurso literario de cuentos, dotado con 300 €.
> Condiciones:
> ⚜ Podrán participar todos los alumnos de español matriculados durante este curso.
> ⚜ Los cuentos tendrán una extensión máxima de mil palabras.
> ⚜ El jurado estará compuesto por tres profesores de español y dos estudiantes de quinto curso.
> ⚜ El cuento ganador será publicado en la revista de la Escuela.
> ⚜ El plazo para entregar los cuentos termina el día 30 de marzo.

7. Según el anuncio, pueden presentar sus cuentos en el concurso tanto estudiantes como profesores.

Verdadero ☐

Falso ☐

TEXTO E

Retiro. Piso antiguo, reformado, 95 m². Cocina, salón, baño, 2 habitaciones, suelo de parqué. Precio: 175.000 €. Inmocasa. Tel.: 91 899 28 39.

8. Según el anuncio, el piso ya se puede habitar

Verdadero ☐

Falso ☐

TEXTO F

Almuerzo chileno

La asociación de chilenos "Aches", invita este sábado a un almuerzo, con motivo de la fiesta nacional. Para participar, es necesario inscribirse previamente en el local de la asociación.

Dirección: c/ Picasso, 12. **Precio**: 9 €. Metro: General Arrando.

----

9. Según el anuncio, puedes ir a almorzar gratuitamente siempre que te apuntes con tiempo.

Verdadero ☐

Falso ☐

PRUEBA 2. PRODUCCIÓN DE TEXTOS ESCRITOS

Parte número 1

Instrucciones

Su amiga Elena le ha escrito una carta donde le cuenta que tiene problemas de salud, que últimamente no duerme bien por la noche y por eso durante el día está de mal humor, con dolor de cabeza, etc. Escríbale una carta dándole algunos consejos. (Entre 80 y 100 palabras).

> Querida Elena:
>
> ¿Cómo sigues? He recibido tu carta en donde me cuentas que no te encuentras bien. Yo que te conozco bien, creo que ....
>
>
> En fin, espero que te mejores, te llamaré pronto.
> Un beso: Carolina.

Parte número 2

Instrucciones

Este verano quiere hacer un curso intensivo de español en un centro en Málaga. Ha visto un anuncio en el periódico de su ciudad, pero necesita más información. Escriba una carta al centro pidiendo la información necesaria: precio, horarios, número de alumnos por clase, posibilidad de alojamiento, actividades extraescolares, etcétera. (Entre 80 y 100 palabras).

> _____ 3 de marzo, de _____
>
>
> Sr. Director:
>
> Me dirijo a usted _____
>
> Me gustaría _____
>
> _____.
>
> En espera de su contestación, se despide atentamente,
>
> _____

PRUEBA 3. INTERPRETACIÓN DE TEXTOS ORALES

Parte número 1

Escuchar

Instrucciones

A continuación usted va a oír una conversación en un mercadillo. Oígala dos veces y marque la opción correcta. (Unidad 11, pista 45, diálogo A).

1. Según la grabación, la clienta opina que el jarrón no es caro.　　Verdadero ☐　　Falso ☐

2. Al final, la clienta se lleva el jarrón por 28 €.　　Verdadero ☐　　Falso ☐

Instrucciones

A continuación usted va a escuchar otra conversación en un mercadillo. Oígala dos veces y marque la opción correcta. (Unidad 11, pista 45, diálogo B).

3. Según la grabación una de las clientas necesita unas zapatillas　　Verdadero ☐　　Falso ☐

4. La clienta quiere también unas zapatillas naranjas.　　Verdadero ☐　　Falso ☐

5. La clienta al final se lleva las zapatillas y el bolso.　　Verdadero ☐　　Falso ☐

Parte número 2

Hablar

Instrucciones

Practique con su compañero. Cada uno escoge una de las fotos y habla sobre ella. Responda a las preguntas.

Foto A. Describe la foto.
- ¿Quiénes son? ● ¿Qué están haciendo?
- ¿Cómo es tu familia, pequeña o grande?
- Descríbela. ● ¿Cuándo os reunís todos?

Foto B. Describe la foto.
- ¿Quiénes son? ● ¿Dónde están? ● ¿Qué hacen?
- ¿Qué haces tú los fines de semana? ● ¿Con quién?
- ¿Qué tipo de música te gusta? ● ¿Cuándo la escuchas?

SGEL

PRUEBA 4. CONCIENCIA COMUNICATIVA

Parte número 1

Instrucciones

A continuación tiene usted 15 frases. En cada frase hay una palabra en negrita que no es correcta. Sustitúyala por una de las palabras del recuadro.

a) estuvo	f) dentro	k) por
b) quedan	g) la entrada	l) dura
c) está	h) que	m) cuesta
d) a	i) tenga	n) he ido
e) le	j) por	ñ) ganó

1. Roberto llega tarde **en** clase todos los días. _____

2. Mario **estaba** viviendo en Roma un año. _____

3. Begoña **es** enamorada de Luis. _____

4. **Cerca** de 10 años podremos viajar a la Luna. _____

5. ¿Sabes cuánto **tarda** esta película? _____

6. A Rosa **se** encantan los bombones. _____

7. Hoy **fui** a ver a mi madre. _____

8. ¿Has comprado **el billete** para el cine? _____

9. A Marisa no le **llevan** bien los vaqueros. _____

10. El ladrón salió de la casa **en** la ventana. _____

11. Ricardo **gastó** el segundo premio de poesía. _____

12. Ayer vi al médico **quien** operó a mi marido. _____

13. Creo que este tren no pasa **para** Valencia. _____

14. ¿Cuánto **está** esta camisa? _____

15. Cuando **tendré** tiempo, iré a verte. _____

Instrucciones

Elija la opción correspondiente a los huecos del diálogo.

CARLOS: ¿Sabes _____ (1) estamos pensando en hacer un intercambio de casa?

JOSÉ: ¡Anda, pues qué interesante! ¿Y _____ (2) sabéis dónde?

INÉS: Nos encantaría _____ (3) a algún lugar de Brasil, que esté en la ciudad y cerca de la playa, _____ (4) a los niños _____ (5) gusta mucho.

CARLOS: Sí, una ciudad con _____ (6) y con cosas para ver, y que tenga cerca _____ (7) sitio para hacer compras.

JOSÉ: ¿También vais a intercambiar _____ (8) coche? Sé que hay gente que lo hace.

INÉS: No, no, a nosotros no nos _____ (9). Es que estamos hartos _____ (10) coger el coche para todo, así que iremos _____ (11) o en transporte público.

JOSÉ: ¿Y _____ (12) pensáis ir?

INÉS: Tiene _____ (13) ser en las vacaciones escolares, porque así podemos ir los cinco. A mis tres hijos pequeños les _____ (14) el plan.

JOSÉ: No me extraña: a mí _____ (15).

1. a) si   b) que   c) de   d) en

2. a) todavía   b) qué   c) porque   d) ya

3. a) ir   b) venir   c) llegar   d) estar

4. a) que   b) donde   c) porque   d) como

5. a) le   b) se   c) los   d) les

6. a) tráfico   b) agua   c) playa   d) moda

7. a) algún   b) uno   c) otro   d) poco

8. a) un   b) Ø   c) el   d) sin

9. a) molesta   b) encanta   c) despierta   d) interesa

10. a) en   b) de   c) a   d) para

11. a) en pie   b) con los pies c) andando   d) escalando

12. a) por qué   b) de dónde   c) para qué   d) cuándo

13. a) de   b) a   c) que   d) por

14. a) encanta   b) molesta   c) pone nerviosos d) da pena

15. a) sí   b) no   c) también   d) encanta

Referencia gramatical y léxico útil

UNIDAD 1

GRAMÁTICA

1. Uso de los tiempos verbales.

Presente

▶ Se utiliza la forma del presente de indicativo:

- Para hablar de hábitos.

  Luis no va nunca a la discoteca.

- Para dar información general sobre uno mismo o sobre el mundo.

  Soy española, soy peluquera y me gusta mucho mi trabajo.

  Muchas tiendas en España cierran a mediodía.

- Para hablar del futuro.

  Mañana te espero a las tres en mi casa.

- Para dar instrucciones.

  Para poner en marcha el coche, primero enciendes el motor y empujas el pedal del embrague…

Pretérito perfecto

▶ Se utiliza el pretérito perfecto:

- Para hablar de acciones acabadas que llegan hasta el presente.

  Ahora mismo he visto a Paco en el pasillo y me ha dicho que no vendrá mañana.

- También para hablar de experiencias personales o de acciones acabadas sin determinar el marco temporal.

  Manu ha viajado mucho por Brasil.

Pretérito indefinido

▶ Se utiliza el pretérito indefinido:

- Para hablar de acciones o estados acabados en un momento determinado del pasado.

  Rosalía ganó el Premio Ondas en 1998.

Pretérito imperfecto

▶ El pretérito imperfecto se utiliza:

- Para hablar de acciones habituales en el pasado.

  Antes salía mucho los fines de semana, pero ahora prefiero quedarme en casa.

- También para descripciones en el pasado.

  El camino del río era muy estrecho y acababa en un arenal.

- Se expresan acciones en desarrollo, muchas veces interrumpidas por otra puntual.

  Empezó a llover cuando llegábamos a la playa.

2. Verbos *le* / verbos *se*.

▶ Tenemos una serie de verbos que funcionan habitualmente con los pronombres *me, te, le, nos, os, les*. Siguen el mismo esquema que el verbo *gustar*.

(A mí)	me	
(A ti)	te	
(A él/ella/Vd.)	le	cae/n bien / mal
(A nosotros/as)	nos	
(A vosotros/as)	os	
(A ellos/ellas/Vds.)	les	

A mí no me interesa la política.

¿A ti te cae bien la profesora nueva?

A ella no le queda bien esa blusa.

A nosotros nos preocupan los problemas del medio ambiente.

¿A vosotros os preocupa la contaminación?

A ellos no les importa llegar tarde.

- Otros verbos funcionan con los pronombres reflexivos *me, te, se, nos, os, se.*

Yo	me	llevo	
Tú	te	llevas	
Él/ella/Vd.	se	lleva	bien /mal
Nosotros/as	nos	llevamos	
Vosotros/as	os	lleváis	
Ellos/ellas/Vds.	se	llevan	

Luis se lleva muy bien con Ángel.

Ayer Rosa se encontraba mal y no fue a clase.

Clara se enfada mucho con sus alumnos.

- A veces el mismo verbo puede usarse con las dos estructuras. En este caso, el verbo puede tener significados muy diferentes o, por el contrario, no variar apenas.

LÉXICO ÚTIL

Verbos

interesar – quedar – caer – pasar – encantar
preocupar – parecer – publicar – ingresar
estudiar – trabajar – obtener – regresar
escribir – nacer – trasladarse – vivir

UNIDAD 2

GRAMÁTICA

1. Pretérito Pluscuamperfecto.

- Se utiliza para expresar acciones acabadas y pasadas, anteriores a otras acciones también pasadas.

Cuando llegué a casa mi marido ya había preparado la cena.

(La acción de preparar la cena es anterior a la de llegar).

Clara lloraba porque su madre no le había comprado un helado.

Me encontré a Carlos y me dijo que había cambiado de trabajo.

- Se forma con el pretérito imperfecto del verbo *haber* y el participio del verbo que indica la acción.

Haber (imperfecto) + participio		
Yo	había	
Tú	habías	
Él/ella/Vd.	había	hablado
Nosotros/as	habíamos	comido
Vosotros/as	habíais	vivido
Ellos/ellas/Vds.	habían	

2. Preposiciones.

A

- Se utiliza para indicar dirección, movimiento.

Vamos a la estación de autobuses.

- Con el verbo *estar*, puede expresar:

Ubicación: *El baño está a la derecha del salón.*

Distancia: *El aeropuerto está a 5 km.*

Temperatura: *Estamos a 0 °C.*

Precio: *La merluza está a 30 € el kilo.*

- Con el verbo *ir*, expresa velocidad.

Yo nunca voy a más de 130 km/hora.

DE

- Indica origen, en el tiempo y en el espacio.

Rosa viene del supermercado.

Este vino es de Rioja.

- Con el verbo *ir* forma múltiples expresiones.

Ir de viaje, ir de compras, ir de vacaciones, ir de excursión.

Nosotros este año no vamos de vacaciones porque no podemos.

DESDE

- Se usa para indicar origen en el espacio y en el tiempo.

Viven aquí desde 1980.

Desde mi casa hasta allí hay dos kilómetros.

EN

▶ Se utiliza para indicar ubicación, en el tiempo y en el espacio.

En España hace mucho calor en verano.

▶ Forma de transporte.

Me gusta más viajar en tren que en avión, es más romántico.

POR

▶ Se utiliza para indicar causa, razón.

Han despedido a Juan por llegar tarde al trabajo.

▶ Lugar.

Ven por la carretera de Toledo, es más corto el viaje.

▶ Medio.

Envíame las fotos por fax, por favor.

PARA

▶ Se utiliza para indicar finalidad, objetivo.

Para venir a mi casa tienes que bajarte en la estación del metro de Plaza Cataluña.

▶ Utilidad.

A. Papá, ¿para qué sirve esta máquina?
B. Para hacer agujeros en la pared.

LÉXICO ÚTIL

Moverse por la ciudad

> estación – atasco – regresar – llegar – metro
> rápido – durante – tren – ir – coche – tardar
> transbordo – autobús

Cosas de la casa

> aire acondicionado – calefacción – chimenea
> equipo de música – ordenador – televisión – vídeo
> DVD – lavaplatos – lavadora – secadora

UNIDAD 3

GRAMÁTICA

1. Oraciones de relativo.

▶ Las oraciones de relativo están introducidas por los pronombres *que, el/la cual, los/las cuales, quien, quienes.* El relativo más utilizado, tanto para personas como para cosas es *que.*

▶ Las oraciones de relativo pueden llevar el verbo en indicativo o subjuntivo.

● **Indicativo**: cuando el hablante conoce la existencia del antecedente.

He visto un restaurante nuevo que pone un cocido buenísimo.

Estamos buscando un bar que tiene unas tapas buenísimas.

● **Subjuntivo**: Si el hablante no conoce la existencia del antecedente.

Estamos buscando un bar que tenga buenas tapas.

● También se usa el **subjuntivo** cuando decimos del antecedente que no existe o que es escaso.

Hay pocos bares que tengan buenas tapas.

2. Condicional.

▶ Cuando se utiliza independientemente, el condicional sirve para expresar consejos, sugerencias, deseos poco probables o cortesía.

Yo que tú hablaría con el profesor.

Podríamos comprar un pollo asado y unas patatas fritas para comer.

Me gustaría estudiar música.

¿Le importaría cerrar la ventana?, tengo frío.

Hablar	
Yo	hablaría
Tú	hablarías
Él/ella/Vd.	hablaría
Nosotros/as	hablaríamos
Vosotros/as	hablaríais
Ellos/ellas/Vds.	hablarían

3. Condicionales irregulares.

▸ Los condicionales irregulares tienen la misma irregularidad que los futuros.

	Futuro	Condicional
Decir	diré	diría
Hacer	haré	haría
Poder	podré	podría
Poner	pondré	pondría
Salir	saldré	saldría

4. Reglas de acentuación.

▸ En español, según el lugar de la sílaba tónica, las palabras suelen clasificarse en *agudas, llanas y esdrújulas*.

- **Agudas**. Son las palabras cuya sílaba tónica es la última.

  café, sofá, Madrid, hablar, lección, japonés.

- **Llanas**. Son las que tienen el acento tónico en la penúltima sílaba.

  árbol, examen, ventana, libro, lápiz

- **Esdrújulas**. Palabras cuya sílaba tónica es la antepenúltima.

  médico, periódico, teléfono, oxígeno.

▸ Para saber dónde hay que colocar la tilde debemos seguir algunas reglas.

- Las palabras **agudas** **llevan tilde** cuando **terminan en vocal,** *n* o *s*.

  mamá, alemán.

- Las palabras **llanas** **llevan tilde** cuando **terminan en una consonante, excepto en** *n* o *s*.

  fútbol, fácil.

- Las palabras **esdrújulas** **llevan tilde siempre**.

  música, ácido, plátano.

▸ Las palabras de una sílaba (**monosílabas**) llevan tilde cuando son diferentes en categoría gramatical o significado.

Con tilde	Sin tilde
él (pronombre)	el (artículo)
mí (pronombre)	mi (posesivo)
sé (verbo saber)	se (pronombre)
sí (adverbio)	si (conjunción condicional)
té (nombre)	te (pronombre)
tú (pronombre)	tu (posesivo)

Él no quiere venir.   *El más alto es Pepe.*

Sí, quiero.   *Si quieres, ven a comer.*

El té me gusta mucho.   *¿Te gusta el té?*

¿Tú estás cansado?   *Tu marido es muy simpático.*

No sé nada.   *No se llama Juan.*

Esto es para mí.   *Mi madre es rubia.*

▸ Las partículas interrogativas y exclamativas llevan tilde siempre.

¿Dónde vive?

¿Cuánto vale?

¿Quién ha venido?

¿Por qué estás enfadada?

¡Qué bonito!

LÉXICO ÚTIL

Nombres de parientes

padre – madre – abuelo – tía – suegro
cuñado – sobrino – nieto – bisabuelo

Adjetivos de carácter

autoritario – vaga – creativa – tolerante
ambiciosa – responsable – encantadora
competitiva – sociable – inseguro
envidioso – cariñoso

GRAMÁTICA

1. *Estar* + gerundio.

▶ Con la perífrasis *estar* + verbo en gerundio expresamos acciones en desarrollo ya sea en el presente, en el pasado o en el futuro.

*Roberto **está leyendo** una novela.*

*Lucía **estuvo esperando** el autobús más de una hora.*

*Mañana a estas horas **estaré comiendo** con Eduardo.*

2. *Estaba / estuve / he estado* + gerundio

Pretérito imperfecto + gerundio		
Yo	estaba	
Tú	estabas	
Él/ella/Vd.	estaba	trabajando
Nosotros/as	estábamos	
Vosotros/as	estabais	
Ellos/ellas/Vds.	estaban	

Pretérito indefinido + gerundio		
Yo	estuve	
Tú	estuviste	
Él/ella/Vd.	estuvo	viviendo
Nosotros/as	estuvimos	
Vosotros/as	estuvisteis	
Ellos/ellas/Vds.	estuvieron	

▶ La diferencia entre *estaba viviendo* y *estuve viviendo* es la misma que entre *vivía* y *viví*.

*Yo **estuve viviendo/viví** en Madrid durante doce años.*

*Cuando **estaba viviendo/vivía** en Madrid, conocí a Pedro.*

▶ No se utiliza la perífrasis *estaba* + gerundio para expresar hábitos en el pasado.

Yo antes ~~estaba jugando~~ al fútbol todos los domingos.
                    jugaba

Pretérito perfecto	+	gerundio
Yo	he estado	
Tú	has estado	
Él/ella/Vd.	ha estado	leyendo
Nosotros/as	hemos estado	
Vosotros/as	habéis estado	
Ellos/ellas/Vds.	han estado	

▶ Este tiempo se utiliza para expresar acciones en desarrollo en un pasado reciente. Pretende dar énfasis a la duración de la actividad.

He estado leyendo toda la mañana.

3. Perífrasis verbales.

▶ Las perífrasis verbales se utilizan para expresar distintos matices en la duración, temporalidad o intencionalidad del hablante. Por ejemplo, las perífrasis *seguir* o *llevar* + gerundio expresan la duración de una acción que empezó en el pasado y que aún continúa.

*¿**Sigues viviendo** en la misma casa?*

***Llevo trabajando** en Madrid tres años.*

● *Dejar de* + infinitivo expresa la finalización de una acción.

*El niño ya **ha dejado de llorar**.*

● *Acabar de* + infinitivo se utiliza para expresar una acción que ha sucedido en un tiempo muy reciente.

***Acabamos de volver** de vacaciones.*

● *Empezar a* + infinitivo expresa el inicio de una acción.

***Empecé a estudiar** español cuando era joven.*

● *Volver a* + infinitivo expresa la repetición de una acción.

***Volvieron a verse** después de unos años.*

Perífrasis verbales con infinitivo		
Dejar de...		
Acabar de...	+	infinitivo
Empezar a...		
Volver a...		

Perífrasis verbales con gerundio

Seguir...
Llevar...   +   gerundio

4. Pretérito imperfecto.

▶ Recuerda que el pretérito imperfecto se utiliza para expresar acciones pasadas no acabadas, para hacer descripciones del pasado así como para expresar hábitos en el pasado.

*Mi abuela **vivía** con nosotros.*

*María **era** muy alta de pequeña.*

*Cuando **éramos** jóvenes, **dormíamos** muchas horas.*

5. Formación de palabras.

▶ Usamos los prefijos **in-**, **i-** y **des-**, para la formación de adjetivos contrarios.

feliz	*infeliz*
responsable	*irresponsable*
agradable	*desagradable*

▶ Si el adjetivo empieza por **p** o **b**, el prefijo es **im-**, en vez de **in-**.

paciente	*im**paciente*
posible	*im**posible*

LÉXICO ÚTIL

Adjetivos contrarios

util-inútil – ordenado/a-desordenado/a
presentable-impresentable – batido/a-imbatido/a
feliz-infeliz – tranquilo/a-intranquilo/a
limitado/a-ilimitado/a – honesto/a-deshonesto/a
necesario/a-innecesario/a – legal-ilegal
responsable-irresponsable – cómodo/a-incómodo/a
controlado/a-descontrolado/a
paciente-impaciente – justo/a-injusto/a
maduro/a-inmaduro/a – tolerante-intolerante
agradable-desagradable – sensible-insensible
sociable-insociable

GRAMÁTICA

1. Oraciones finales.

▶ Las oraciones que expresan finalidad y que están introducidas por *para / para que* pueden llevar el verbo en infinito o en subjuntivo.

● *Para* + **infinitivo** se utiliza cuando el sujeto de los dos verbos es el mismo.

*Le llamé **para preguntarle** por su salud.*
   (yo)   (yo)

● *Para que* + **subjuntivo** se utiliza cuando los sujetos son diferentes.

*Te lo cuento **para que sepas** lo que pasó.*
   (yo)   (tú)

▶ Las oraciones interrogativas con *¿para qué…?* se utilizan siempre con indicativo.

¿Para qué querías verme?

2. Imperativo.

▶ Se usa el imperativo para dar órdenes, para pedir favores, para dar instrucciones y consejos.

***Bajad** la voz.*

*No **hagas** ruido, por favor.*

***Bebe** dos litros de agua al día..*

▶ Cuando el imperativo se usa para dar una orden muchas veces se suaviza con *por favor*.

*Carlos, **cierra** la puerta **por favor**.*

▶ Todas las formas del imperativo (excepto *tú* y *vosotros* en la forma afirmativa) son iguales que las del presente de subjuntivo.

Imperativo afirmativo	negativo
Come (tú)	No comas (tú)
Coma (usted)	No coma (usted)
Comed (vosotros)	No comáis (vosotros)
Coman (ustedes)	No coman (ustedes)

▶ Los verbos que son irregulares en presente de indicativo suelen tener la misma irregularidad en imperativo (excepto la persona *vosotros*).

Dormir	
Presente	**Imperativo**
Duermo (yo)	duerme (tú) / no duermas
	duerma (Vd.) / no duerma
	dormid (vos.) / no durmáis
	duerman (Vds.) / no duerman

▶ Otros irregulares: *decir, ir, hacer, poner, oír, tener, ser, venir* y *salir*.

Decir	
afirmativo	**negativo**
di (tu)	no digas
diga (Vd.)	no diga
decid (vosotros)	no digáis
digan (Vds.)	no digan

▶ Imperativo + pronombres.

- **Afirmativo**. Los pronombres van detrás del verbo.

    Cállense, por favor.   *Díselo tú, Ángel.*

- **Negativo.** Los pronombres van antes del verbo.

    No te sientes ahí.   *No se lo digas a Juan.*

LÉXICO ÚTIL

Alimentos

berenjenas – garbanzos – mejillones – filete
yogur – salchichas – merluza – queso – lentejas
coliflor – leche – huevos – fruta – carne – pescado
pollo – bocadillos – pizza – lechuga – tomates
naranjas – espinacas – pasta – ensaladas
manzanas

Partes del cuerpo

cabeza – frente – orejas – ojos – nariz – boca
cuello – brazos – manos – dedos – pecho – espalda
caderas – piernas – rodillas – pies

UNIDAD 6

GRAMÁTICA

1. Verbos de sentimiento y opinión + subjuntivo.

▶ Las oraciones dependientes de verbos como *gustar, interesar, molestar,* que funcionan con los pronombres *me, te, le, nos, os, les*, llevan el verbo en infinitivo o subjuntivo.

- **Infinitivo.** Cuando el sujeto de las dos frases es el mismo.

    Me preocupa llegar tarde al médico.
    (yo)   (yo)

- **Subjuntivo.** Cuando el sujeto de los dos verbos es diferente.

    Me preocupa que Paco llegue tarde al médico.
    (yo)   (él)

2. *Hay que* + infinitivo.

▶ Se utiliza *hay que* + infinitivo para hablar de obligaciones que afectan a todo el mundo.

Hay que escuchar al profesor cuando está explicando.

3. *(No) hace falta (que).*

- **Infinitivo.** Obligación impersonal.

    No hace falta limpiar los cristales, están limpios.

- **Subjuntivo.** Obligación personal.

    No hace falta que (tú) vengas mañana.

4. *Es necesario, es importante, es conveniente (que).*

- **Infinitivo.** Cuando la oración subordinada es impersonal, no se refiere a un sujeto concreto.

    Es necesario cuidar el medio ambiente.

- **Subjuntivo.** Se utiliza cuando la oración subordinada tiene un sujeto personal.

  Es conveniente que (tú) hagas lo que dice el médico.

5. Comparativos.

Comparación con adjetivos

- Superioridad: **más** + adjetivo + **que**.
- Inferioridad: **menos** + adjetivo + **que**.
- Igualdad: **tan** + adjetivo + **como**.

  *Mi coche es **menos** ruidoso **que** el tuyo.*

Comparación con nombres

- Superioridad: **más** + nombre + **que**.
- Inferioridad: **menos** + nombre + **que**.
- Igualdad: **tanto/a/os/as** + nombre + **como**.

  *Mi coche gasta **tanta** gasolina **como** el tuyo.*

Comparación con verbos

- Superioridad: verbo + **más que**.
- Inferioridad: verbo + **menos que**.
- Igualdad: verbo + **tanto como**.

  *Mi coche corre **tanto como** el tuyo.*

▶ Se utiliza la preposición **de** para introducir la segunda parte de la comparación en los siguientes casos:

- Cuando hablamos de una cantidad determinada.

  *Me he gastado más **de** 100 € en la lotería.*

- Cuando la comparación (adjetiva) va seguida **de lo que**.

  *Es más caro **de lo que** creía.*

- Cuando la comparación (nominal) es cuantitativa.

  *Tenemos menos sillas **de las que** necesitamos*

Comparativos irregulares

Grande	➤	mayor
Pequeño	➤	menor
Bueno	➤	mejor
Malo	➤	peor

6. Superlativos.

▶ Se utiliza para expresar las cualidades en su grado máximo. Hay dos formas de superlativo.

- **Superlativo absoluto**: Se destaca una cualidad sin hacer una comparación. Adjetivo + *-ísimo/a/os/as*.

  *Esta niña es **guapísima**.*

- **Superlativo relativo**: Expresa la superioridad con respecto a un grupo.

  *Es **el más alto** de su clase.*

LÉXICO ÚTIL

Verbos de opinión y obligación

me molesta que... – me preocupa que..
es necesario que... – es importante que...
es conveniente que... – hay que... – me gusta que...

Mundo natural

cordillera – mar – continente – océano – desierto
selva – río – país – isla – cañón

UNIDAD 7

GRAMÁTICA

1. Masculino y femenino.

▸ Los nombres de profesionales pueden tener género masculino y femenino.

masculino	femenino
camarero	camarera
profesor	profesora
juez	jueza
estudiante	estudiante
dependiente	dependienta
futbolista	futbolista
policía	policía
actor	actriz
alcalde	alcaldesa

2. Oraciones temporales: *cuando.*

▸ Las oraciones temporales introducidas por cuando pueden llevar el verbo en indicativo o subjuntivo.

- **Indicativo.** Cuando nos referimos al presente o al pasado.

  *Cuando **voy** de viaje siempre **traigo** regalos.*
  *Cuando **salí** del trabajo **fui** a visitar a Lola.*
  *Cuando **vivía** en París **trabajaba** de camarero en un restaurante.*

- **Subjuntivo.** Cuando nos referimos al futuro.

  *Cuando **termine** este trabajo voy a hacer un viaje por África.*

- Se utiliza el verbo en **futuro** (y no en subjuntivo) en las oraciones interrogativas, directas o indirectas.

  *¿Cuándo **vendrás** a verme?*
  *¿Sabes cuándo **llegará** María?*
  *No sé cuándo **iré** a verte.*

3. Oraciones condicionales.

▸ Las oraciones condicionales introducidas por **si** pueden llevar el verbo en indicativo o subjuntivo.

- **Presente de indicativo.** Cuando la condición de la que se habla puede realizarse en el presente o en el futuro.

  *Si **tengo** tiempo, <u>iré</u> a verte.*
          futuro

  *Si **tienes** algún problema, <u>llámame</u> por teléfono.*
          imperativo

  *Mi marido y yo todos los domingos, si **podemos**, <u>damos</u> un paseo.*
  presente

- **Pretérito imperfecto de subjuntivo.** Cuando la condición de la que se habla no se puede realizar o es poco probable.

  *Si **tuviera** mucho dinero, no trabajaría.*

4. Pretérito imperfecto de subjuntivo.

Verbos regulares

Hablar	Comer	Vivir
hablara	comiera	viviera
hablaras	comieras	vivieras
hablara	comiera	viviera
habláramos	comiéramos	viviéramos
hablarais	comierais	vivierais
hablaran	comiera	vivieran

Verbos irregulares

- Generalmente tienen la misma irregularidad que el pretérito indefinido.

Decir	dijera, dijeras...
Estar	estuviera, estuvieras...
Hacer	hiciera, hicieras...
Ir, ser	fuera, fueras...
Pedir	pidiera, pidieras...
Poder	pudiera, pudieras...
Tener	tuviera, tuvieras...
Venir	viniera, vinieras...

LÉXICO ÚTIL

Nombres de profesionales

> jardinera – camarero – jueza – periodista
> abogado – locutora – secretario – cantante
> fontanero – peluquero – bailarina – cocinero
> reportero – anestesista – recepcionista

Léxico del trabajo

> anuncio – entrevista – currículo – empresa
> contrato – despedir – horario – sueldo – salario
> firmar – experiencia – paro

UNIDAD 8

GRAMÁTICA

1. Estilo directo / estilo indirecto.

▶ **Estilo directo:** reproduce las palabras del hablante exactamente igual a como fueron dichas. Gráficamente va escrito con dos puntos, comillas y mayúsculas.

Ángel dijo: "Os llamaré mañana".

▶ **Estilo indirecto:** reproduce la idea del hablante pero no sus palabras textuales y requiere de adaptaciones en las estructuras (verbos, pronombres, posesivos, expresiones de tiempo...)

Ángel me dijo ayer que nos llamaría hoy.

Estilo directo	Estilo indirecto
Presente Pretérito imperfecto	Pretérito imperfecto
Pretérito perfecto Pretérito indefinido	Pretérito pluscuamperfecto/ indefinido
Pretérito pluscuamperfecto	Pretérito pluscuamperfecto
Futuro	Condicional
Condicional	Condicional

LÉXICO ÚTIL

Deportes

> natación – guantes – casco – fútbol – raqueta
> pista – botas – palos – tenis – ciclismo
> pista de hierba o tierra batida – ring – piscina
> boxeo – golf – estadio – campo – bañador
> carretera – campeona – récord – árbitro – batir
> ganador – atleta – aficionado – medalla

Espectáculos

> concierto de rock / música clásica / jazz
> cine – teatro – ópera – ballet – circo – tablao
> exposición de pintura / fotografía / escultura

Arte y Literatura

> cantante – poeta – actriz – actor
> director de orquesta – escritor – compositor
> escultor – pintor – director de cine

Música

> violonchelo / violonchelista – flauta / flautista
> violín / violinista – piano / pianista
> guitarra / guitarrista – batería / batería

UNIDAD 9

GRAMÁTICA

1. Estilo indirecto. Órdenes y sugerencias.

▶ Cuando presentamos una orden o sugerencia en estilo indirecto, el verbo de la oración tendrá que ir en subjuntivo.

(Jefe: "No llegues tarde")
*Mi jefe siempre me <u>dice</u> que no **llegue** tarde.*

(Lucía: "Ven mañana a mi casa")
*Lucía me <u>pidió</u> que **fuera** a su casa.*

▶ Si el verbo introductor está en presente o pretérito perfecto, la oración de estilo indirecto llevará el verbo en presente de subjuntivo:

*Mi madre siempre me <u>dice</u> que no **corra** cuando voy en coche.*   Presente   Pres. Subj.

*Me <u>ha pedido</u> que le **preste** mi libro.*
     Pret. Perf.   Pres. Subj.

▶ Si el verbo introductor está en pretérito imperfecto, indefinido o pluscuamperfecto, la oración de estilo indirecto llevará el verbo en pretérito imperfecto de subjuntivo.

*Me <u>dijo</u> que **abriera** la ventana.*
Pret. ind.   Pret. imperf. subj.

▶ El estilo indirecto va introducido por verbos como decir (en el significado de "ordenar") y otros como *pedir, sugerir, recomendar, aconsejar, rogar, prohibir,* etcétera.

LÉXICO ÚTIL

Noticias

titular – robar – detener – policía – persecución agresor – huir – asaltar – apuñalar – herir herido – atacar – víctima

Verbos de influencia

recomendar – aconsejar – sugerir – prohibir pedir – rogar

UNIDAD 10

GRAMÁTICA

1. Expresión de la conjetura.

▶ Para expresar nuestras dudas, deseos o planes sin definir (conjeturas) utilizamos las siguientes expresiones.

● A lo mejor + indicativo.

A lo mejor vamos a Marbella.

A lo mejor ha ido a comprar los billetes de tren.

● No se puede utilizar **a lo mejor** + verbo en futuro.

A lo mejor ~~estará~~ de vacaciones.
           está

● **Seguramente / probablemente** + futuro o presente de subjuntivo.

Seguramente estará / esté enferma. La llamaré.

Probablemente iremos / vayamos a cenar a un restaurante japonés.

● **Quizás** + indicativo o subjuntivo.

Indicativo. Se puede utilizar **quizás** + indicativo cuando nos referimos a acciones pasadas o presentes.

Quizás ha tenido que ir al médico y por eso no ha venido a trabajar.

Subjuntivo. Se prefiere cuando hablamos de acciones futuras.

Quizás compremos un coche nuevo, pero no sé cuando.

LÉXICO ÚTIL

Alojamientos

En el hotel
piscina – sala de reuniones – gimnasio – sauna restaurante – servicio de plancha cuidado de niños – aparcamiento – lavandería prensa gratuita – telefax

En las habitaciones
radio – televisión – teléfono – secador de pelo albornoces – minibar – baño privado servicio de habitaciones 24 h – cafetera – tetera terraza – aire acondicionado – escritorio

Tiempo atmosférico

nubes – lluvia – niebla – tormenta – viento sol – nubes y claros – nieve – nublado – lluvioso frío – calor

GRAMÁTICA

1. Pronombres de objeto directo e indirecto.

Pronombres de objeto directo

	singular	plural
1.ª persona:	me	nos
2.ª persona:	te	os
3.ª persona:	lo (le) / la	los (les) / las

Pronombres de objeto indirecto

	singular	plural
1.ª persona	me	nos
2.ª persona	te	os
3.ª persona	le (se)	les (se)

▶ Los pronombres de objeto directo e indirecto van normalmente delante del verbo, excepto cuando el verbo va en imperativo afirmativo.

Lo compré ayer

– ¿Me podrías dejar tu móvil?

– Sí, cógelo.

▶ Cuando el verbo va en imperativo afirmativo o gerundio, pueden ir detrás o delante del verbo que los acompaña.

Quiero verlos. / Los quiero ver.

Estoy esperándola. / La estoy esperando.

▶ En 3.ª persona el uso de los pronombres **le / les** está aceptado para personas masculinas.

Ayer estuve con tu hermano. Le / Lo encontré muy bien.

▶ Cuando es necesario utilizar los dos pronombres (directo e indirecto), el indirecto va en primer lugar.

Dámelo, por favor.

▶ Cuando al pronombre **le** (objeto indirecto) le sigue uno de los objetos directos de 3.ª persona (**lo, la; los, las**), el primero se convierte en **se**.

Acércaselo a tu compañero.

▶ Aunque el objeto indirecto aparezca detrás del verbo, el pronombre suele repetirse también delante.

¿Le has dado la noticia a Luis?

2. Indefinidos: *poco, un poco, mucho, bastante, demasiado*.

▶ **poco / un poco**

● *poco, poca, pocos, pocas* + nombre

Hay poca gente en esta tienda.

● *un poco de* + nombre

Nos sobra un poco de tiempo.

● *poco* + adjetivo

Estoy poco interesada en ese tema (= no estoy interesada).

● *un poco* + adjetivo

Soy un poco miedoso.

▶ **mucho**

● *mucho / -a / -os / -as* + nombre

Han pasado muchos días desde la última vez que hablé con él.

● *mucho* (adverbio)

Paco corre mucho.

▶ **bastante / demasiado**

● *bastante / demasiado* + adjetivo

Ese edificio es bastante antiguo.
Son demasiado jóvenes para salir solos.

● *bastante -s / demasiado -a, -os -as* + nombre

Esperé bastantes horas.
Tenía demasiada prisa.

● pueden aparecer solos, cuando funcionan como pronombre o adverbio.

– ¿Cuántos quieres?

– Dame bastantes.

– ¿Quieres algo más?

– No, gracias, he comido demasiado.

3. Artículos.

	Determinados		Indeterminados	
	Para algo que conocemos		Para algo que mencionamos por primera vez	
	Masc.	**Fem.**	**Masc.**	**Fem.**
Sing.	el	la	un	una
Pl.	los	las	unos	unas

▶ Los artículos determinados (*el, la, los, las*) se usan :

- Cuando hablamos de algo que conocemos:

  *Devuélveme **el** libro que te presté.*

- Con el verbo gustar y con todos los verbos que llevan *le*:

  *Me gusta **la** música clásica.*

- Es obligatorio con nombres de juegos y actividades de ocio, con partes del cuerpo, objetos personales o ropa, en lugar del posesivo.

  *Me duele **la** cabeza (Me duele ~~mi~~ cabeza).*

  El fútbol es un deporte muy popular en Europa.

- Con la hora.

  *Son **las** seis de la tarde.*

- Con los días de la semana.

  El jueves voy a verte.

- A veces se puede eliminar el sustantivo y dejar el artículo.

  – ¿Quién es tu novia?

  *– **La** del vestido rosa.*

▶ Los artículos indeterminados (*un, una, unos, unas*) se usan:

- Cuando se habla de algo por primera vez:

  *Me han regalado **un** gato.*

- Para hablar de una cantidad aproximada.

  *He tardado **unas** doce horas.*

▶ El artículo neutro (*lo*) se usa:

- Seguido de un adjetivo o un adverbio para sustantivarlo

  ***Lo** más difícil es aprobar el primer examen.*

▶ No se usa artículo:

- Cuando se habla de una profesión, excepto si va con un adjetivo.

  *Mi primo es **un** carpintero estupendo.*

LÉXICO ÚTIL

Ropa y complementos

> chaqueta – bolsillos – botones – falda – blusa bufanda – pendientes – pañuelo(de cuello) cinturón – medias – zapatos de tacón – bolso gorro – abrigo – bufanda – guantes – camisa traje (de caballero) – traje de chaqueta (de señora) – corbata – sombrero – vaqueros pantalones – jersey – camiseta – botas – zapatos chándal – zapatillas de deportes – calcetines.

UNIDAD 12

GRAMÁTICA

1. Impersonal con *se*.

▶ Cuando al hablar o escribir no conocemos el sujeto o no nos interesa mencionarlo, usamos estructuras impersonales. Una de ellas es la formada por *se* + verbo activo + sujeto pasivo

***Se** venden pisos.*

▶ Otras veces no aparece ningún sujeto, entonces son totalmente impersonales.

*Profesora, hable más alto, aquí no **se** oye.*

2. Adverbios.

▶ Los adverbios sirven para calificar al verbo, al adjetivo o a otro adverbio.

*Canta **maravillosamente**.*

*Es **muy** bueno.*

*Vive **bastante** cerca.*

▶ Según su significado, pueden indicar tiempo, modo, lugar o cantidad.

Tiempo	Modo	Lugar	Cantidad
ahora	bien	aquí	mucho
ya	mal	allí	poco
todavía	despacio	arriba	bastante
tarde	así	abajo	demasiado
ayer	(Adverbios	delante	muy
mañana	en -*mente*)	detrás	
hoy		cerca	
		lejos	

▶ Se pueden formar numerosos adverbios de modo añadiendo el sufijo –*mente* a los adjetivos.

*correcto > correcta**mente***

*fácil > fácil**mente***

LÉXICO ÚTIL

Fiestas y tradiciones

Navidad – Nochebuena – Nochevieja
Año Nuevo – Reyes Magos – turrón – regalos
belén – villancicos – árbol

Verbos regulares e irregulares

VERBOS REGULARES

TRABAJAR

Presente ind.	Pret. indefinido	Pret. imperfecto	Futuro	Pret. perfecto
trabajo	trabajé	trabajaba	trabajaré	he trabajado
trabajas	trabajaste	trabajabas	trabajarás	has trabajado
trabaja	trabajó	trabajaba	trabajará	ha trabajado
trabajamos	trabajamos	trabajábamos	trabajaremos	hemos trabajado
trabajáis	trabajasteis	trabajabais	trabajaréis	habéis trabajado
trabajan	trabajaron	trabajaban	trabajarán	han trabajado

Pret. pluscuamperf.	Imperativo afirmativo/negativo	Presente sub.	Pret. imperfecto sub.
había trabajado	trabaja / no trabajes (tú)	trabaje	trabajara / trabajase
habías trabajado	trabaje / no trabaje (Vd.)	trabajes	trabajaras / trabajases
había trabajado	trabajad / no trabajéis (vosotros)	trabaje	trabajara / trabajase
habíamos trabajado	trabajen / no trabajen (Vds.)	trabajemos	trabajáramos / trabajásemos
habíais trabajado		trabajéis	trabajarais / trabajaseis
habían trabajado		trabajen	trabajaran / trabajasen

COMER

Presente ind.	Pret. indefinido	Pret. imperfecto	Futuro	Pret. perfecto
como	comí	comía	comeré	he comido
comes	comiste	comías	comerás	has comido
come	comió	comía	comerá	ha comido
comemos	comimos	comíamos	comeremos	hemos comido
coméis	comisteis	comíais	comeréis	habéis comido
comen	comieron	comían	comerán	han comido

Pret. pluscuamperf.	Imperativo afirmativo/negativo	Presente sub.	Pret. imperfecto sub.
había comido	come / no comas (tú)	coma	comiera / comiese
habías comido	coma / no coma (Vd.)	comas	comieras / comieses
había comido	comed / no comáis (vosotros)	coma	comiera / comiese
habíamos comido	coman / no coman (Vds.)	comamos	comiéramos / comiésemos
habíais comido		comáis	comierais / comieseis
habían comido		coman	comieran / comiesen

VIVIR

Presente ind.	Pret. indefinido	Pret. imperfecto	Futuro	Pret. perfecto
vivo	viví	vivía	viviré	he vivido
vives	viviste	vivías	vivirás	has vivido
vive	vivió	vivía	vivirá	ha vivido
vivimos	vivimos	vivíamos	viviremos	hemos vivido
vivís	vivisteis	vivíais	viviréis	habéis vivido
viven	vivieron	vivían	vivirán	han vivido

Pret. pluscuamperf.	Imperativo afirmativo/negativo	Presente sub.	Pret. imperfecto sub.
había vivido	vive / no vivas (tú)	viva	viviera / viviese
habías vivido	viva / no viva (Vd.)	vivas	vivieras / vivieses
había vivido	vivid / no viváis (vosotros)	viva	viviera / viviese
habíamos vivido	vivan / no vivan (Vds.)	vivamos	viviéramos / viviésemos
habíais vivido		viváis	vivierais / vivieseis
habían vivido		vivan	vivieran / viviesen

VERBOS IRREGULARES

ACORDAR(SE)

Presente ind.	Pret. indef.	Futuro	Imperativo	Presente sub.	Pret. imperfecto sub.
(me) acuerdo	acordé	acordaré	acuerda(te) (tú)	acuerde	acostara / acostase
(te) acuerdas	acordaste	acordarás	acuerde(se) (Vd.)	acuerdes	acostaras / acostases
(se) acuerda	acordó	acordará	acordad (vosotros	acuerde	acostara / acostase
(nos) acordamos	acordamos	acordaremos	acordaos (vosotros)	acordemos	acostáramos / acostásemos
(os) acordáis	acordasteis	acordaréis	acuerden(se) (Vds.)	acordéis	acostarais / acostaseis
(se) acuerdan	acordaron	acordarán		acuerden	acostaran / acostasen

ACOSTAR(SE)

Presente ind.	Pret. indef.	Futuro	Imperativo	Presente sub.	Pret. imperfecto sub.
(me) acuesto	acosté	acostaré	acuesta(te) (tú)	acueste	acostara / acostase
(te) acuestas	acostaste	acostarás	acueste(se) (Vd.)	acuestes	acostaras / acostases
(se) acuesta	acostó	acostará	acostad (vosotros)	acueste	acostara / acostase
(nos) acostamos	acostamos	acostaremos	acostaos (vosotros)	acostemos	acostáramos / acostásemos
(os) acostáis	acostasteis	acostaréis	acuesten(se) (Vds.)	acostéis	acostarais / acostaseis
(se) acuestan	acostaron	acostarán		acuesten	acostaran / acostasen

ANDAR

Presente ind.	Pret. indef.	Futuro	Imperativo	Presente sub.	Pret. imperfecto sub.
ando	anduve	andaré	anda (tú)	ande	anduviera / anduviese
andas	anduviste	andarás	ande (Vd.)	andes	anduvieras / anduvieses
anda	anduvo	andará	andad (vosotros)	ande	anduviera / anduviese
andamos	anduvimos	andaremos	anden (Vds.)	andemos	anduviéramos / anduviésemos
andáis	anduvisteis	andaréis		andéis	anduvierais / anduvieseis
andan	anduvieron	andarán		anden	anduvieran / anduviesen

APROBAR

Presente ind.	Pret. indef.	Futuro	Imperativo	Presente sub.	Pret. imperfecto sub.
apruebo	aprobé	aprobaré	aprueba (tú)	apruebe	aprobara / aprobase
apruebas	aprobaste	aprobarás	apruebe (Vd.)	apruebes	aprobaras / aprobases
aprueba	aprobó	aprobará	aprobad (vosotros)	apruebe	aprobara / aprobase
aprobamos	aprobamos	aprobaremos	aprueben (Vds.)	aprobemos	aprobáramos / aprobásemos
aprobáis	aprobasteis	aprobaréis		aprobéis	aprobarais / aprobaseis
aprueban	aprobaron	aprobarán		aprueben	aprobaran / aprobasen

CERRAR

Presente ind.	Pret. indef.	Futuro	Imperativo	Presente sub.	Pret. imperfecto sub.
cierro	cerré	cerraré	cierra (tú)	cierre	cerrara / cerrase
cierras	cerraste	cerrarás	cierre (Vd.)	cierres	cerraras / cerrases
cierra	cerró	cerrará	cerrad (vosotros)	cierre	cerrara / cerrase
cerramos	cerramos	cerraremos	cierren (Vds.)	cerremos	cerráramos / cerrásemos
cerráis	cerrasteis	cerraréis		cerréis	cerrarais / cerraseis
cierran	cerraron	cerrarán		cierren	cerraran / cerrasen

CONOCER

Presente ind.	Pret. indef.	Futuro	Imperativo	Presente sub.	Pret. imperfecto sub.
conozco	conocí	conoceré	conoce (tú)	conozca	conociera / conociese
conoces	conociste	conocerás	conozca (Vd.)	conozcas	conocieras / conocieses
conoce	conoció	conocerá	conoced (vosotros)	conozca	conociera / conociese
conocemos	conocimos	conoceremos	conozcan (Vde.)	conozcamos	conociéramos / conociésemos
conocéis	conocisteis	conoceréis		conozcáis	conocierais / conocieseis
conocen	conocieron	conocerán		conozcan	conocieran / conociesen

DAR

Presente ind.	Pret. indef.	Futuro	Imperativo	Presente sub.	Pret. imperfecto sub.
doy	di	daré	da (tú)	dé	diera / diese
das	diste	darás	dé (Vd.)	des	dieras / dieses
da	dio	dará	dad (vosotros)	dé	diera / diese
damos	dimos	daremos	den (Vds.)	demos	diéramos / diésemos
dais	disteis	daréis		deis	dierais / dieseis
dan	dieron	darán		den	dieran / diesen

DECIR

Presente ind.	Pret. indef.	Futuro	Imperativo	Presente sub.	Pret. imperfecto sub.
digo	dije	diré	di (tú)	diga	dijera / dijese
dices	dijiste	dirás	diga (Vd.)	digas	dijeras / dijeses
dice	dijo	dirá	decid (vosotros)	diga	dijera / dijese
decimos	dijimos	diremos	digan (Vds.)	digamos	dijéramos / dijésemos
decís	dijisteis	diréis		digáis	dijerais / dijeseis
dicen	dijeron	dirán		digan	dijeran / dijesen

DESPERTAR(SE)

Presente ind.	Pret. indef.	Futuro	Imperativo	Presente sub.	Pret. imperfecto sub.
(me) despierto	desperté	despertaré	despierta (tú)	despierte	despertara / despertase
(te) despiertas	despertaste	despertarás	despierte (Vd.)	despiertes	despertaras / despertases
(se) despierta	despertó	despertará	despertad (vosotros)	despierte	despertara / despertase
(nos) despertamos	despertamos	despertaremos	despertaos (vosotros)	despertemos	despertáramos / despertásemos
(os) despertáis	despertasteis	despertaréis	despierten (Vds.)	despertéis	despertarais / despertaseis
(se) despiertan	despertaron	despertarán		despierten	despertaran / despertasen

DIVERTIR(SE)

Presente ind.	Pret. indef.	Futuro	Imperativo	Presente sub.	Pret. imperfecto sub.
(me) divierto	divertí	divertiré	divierte(te) (tú)	divierta	divirtiera / divirtiese
(te) diviertes	divertiste	divertirás	divierta(se) (Vd.)	diviertas	divirtieras / divirtieses
(se) divierte	divirtió	divertirá	divertid (vosotros)	divierta	divirtiera / divirtiese
(nos) divertimos	divertimos	divertiremos	divertíos (vosotros)	divirtamos	divirtiéramos / divirtiésemos
(os) divertís	divertisteis	divertiréis	diviertan(se) (Vds.)	divirtáis	divirtierais / divirtieseis
(se) divierten	divirtieron	divertirán		diviertan	divirtieran / divirtiesen

DORMIR(SE)

Presente ind.	Pret. indef.	Futuro	Imperativo	Presente sub.	Pret. imperfecto sub.
(me) duermo	dormí	dormiré	duerme(te) (tú)	duerma	durmiera / durmiese
(te) duermes	dormiste	dormirás	duerma(se) (Vd.)	duermas	durmieras / durmieses
(se) duerme	durmió	dormirá	dormid (vosotros)	duerma	durmiera / durmiese
(nos) dormimos	dormimos	dormiremos	dormíos (vosotros)	durmamos	durmiéramos / durmiésemos
(os) dormís	dormisteis	dormiréis	duerman(se) (Vds.)	durmáis	durmierais / durmieseis
(se) duermen	durmieron	dormirán		duerman	durmieran / durmiesen

EMPEZAR

Presente ind.	Pret. indef.	Futuro	Imperativo	Presente sub.	Pret. imperfecto sub.
empiezo	empecé	empezaré	empieza (tú)	empiece	empezara / empezase
empiezas	empezaste	empezarás	empiece (Vd.)	empieces	empezaras / empezases
empieza	empezó	empezará	empezad (vosotros)	empiece	empezaras / empezases
empezamos	empezamos	empezaremos	empiecen (Vds.)	empecemos	empezáramos / empezásemos
empezáis	empezasteis	empezaréis		empecéis	empezarais / empezaseis
empiezan	empezaron	empezarán		empiecen	empezaran / empezasen

ENCONTRAR

Presente ind.	Pret. indef.	Futuro	Imperativo	Presente sub.	Pret. imperfecto sub.
encuentro	encontré	encontraré	encuentra (tú)	encuentre	encontrara / encontrase
encuentras	encontraste	encontrarás	encuentre (Vd.)	encuentres	encontraras / encontrases
encuentra	encontró	encontrará	encontrad (vosotros)	encuentre	encontrara / encontrase
encontramos	encontramos	encontraremos	encuentren (Vds.)	encontremos	encontráramos / encontrásemos
encontráis	encontrasteis	encontraréis		encontréis	encontrarais / encontraseis
encuentran	encontraron	encontrarán		encuentren	encontraran / encontrasen

ESTAR

Presente ind.	Pret. indef.	Futuro	Imperativo	Presente sub.	Pret. imperfecto sub.
estoy	estuve	estaré	está / no estés (tú)	esté	estuviera / estuviese
estás	estuviste	estarás	esté / no esté (Vd.)	estés	estuvieras / estuvieses
está	estuvo	estará	estad / no estéis (vosotros)	esté	estuviera / estuviese
estamos	estuvimos	estaremos	estén / no estén (Vds.)	estemos	estuviéramos / estuviésemos
estáis	estuvisteis	estaréis		estéis	estuvierais / estuvieseis
están	estuvieron	estarán		estén	estuvieran / estuviesen

HACER

Presente ind.	Pret. indef.	Futuro	Imperativo	Presente sub.	Pret. imperfecto sub.
hago	hice	haré	haz / no hagas (tú)	haga	hiciera / hiciese
haces	hiciste	harás	haga / no haga (Vd.)	hagas	hicieras / hicieses
hace	hizo	hará	haced / no hagáis (vosotros)	haga	hiciera / hiciese
hacemos	hicimos	haremos	hagan / no hagan (Vds.)	hagamos	hiciéramos / hiciésemos
hacéis	hicisteis	haréis		hagáis	hicierais / hicieseis
hacen	hicieron	harán		hagan	hicieran / hiciesen

HABER

Presente ind.	Pret. indef.	Futuro	Imperativo	Presente sub.	Pret. imperfecto sub.
he	hube	habré	he / no hayas (tú)	haya	hubiera / hubiese
has	hubiste	habrás	haya / no haya (Vd.)	hayas	hubieras / hubieses
ha	hubo	habrá	habed / no hayáis (vosotros)	haya	hubiera / hubiese
hemos	hubimos	habremos	hayan / no hayan (Vds.)	hayamos	hubiéramos / hubiésemos
habéis	hubisteis	habréis		hayáis	hubierais / hubieseis
han	hubieron	habrán		hayan	hubieran / hubiesen

IR

Presente ind.	Pret. indef.	Futuro	Imperativo	Presente sub.	Pret. imperfecto sub.
voy	fui	iré	ve / no vayas (tú)	vaya	fuera / fuese
vas	fuiste	irás	vaya / no vaya (Vd.)	vayas	fueras / fueses
va	fue	irá	id / no vayáis (vosotros)	vaya	fuera / fuese
vamos	fuimos	iremos	vayan / no vayan (Vds.)	vayamos	fuéramos / fuésemos
vais	fuisteis	iréis		vayáis	fuerais / fueseis
van	fueron	irán		vayan	fueran / fuesen

JUGAR

Presente ind.	Pret. indef.	Futuro	Imperativo	Presente sub.	Pret. imperfecto sub.
juego	jugué	jugaré	juega / no juegues (tú)	juegue	jugara / jugase
juegas	jugaste	jugarás	juegue / no juegue (Vd.)	juegues	jugaras / jugases
juega	jugó	jugará	jugad / no juguéis (vosotros)	juegue	jugara / jugase
jugamos	jugamos	jugaremos	jueguen / no jueguen (Vds.)	juguemos	jugáramos / jugásemos
jugáis	jugasteis	jugaréis		juguéis	jugarais / jugaseis
juegan	jugaron	jugarán		jueguen	jugaran / jugasen

LEER

Presente ind.	Pret. indef.	Futuro	Imperativo	Presente sub.	Pret. imperfecto sub.
leo	leí	leeré	lee / no leas (tú)	lea	leyera / leyese
lees	leíste	leerás	lea / no lea (Vd.)	leas	leyeras / leyeses
lee	leyó	leerá	leed / no leáis (vosotros)	lea	leyera / leyese
leemos	leímos	leeremos	lean / no lean (Vds.)	leamos	leyéramos / leyésemos
leéis	leísteis	leeréis		leáis	leyerais / leyeseis
leen	leyeron	leerán		lean	leyeran / leyesen

OÍR

Presente ind.	Pret. indef.	Futuro	Imperativo	Presente sub.	Pret. imperfecto sub.
oigo	oí	oiré	oye / no oigas (tú)	oiga	oyera / oyese
oyes	oíste	oirás	oiga / no oiga (Vd.)	oigas	oyeras / oyeses
oye	oyó	oirá	oíd / no oigáis (vosotros)	oiga	oyera / oyese
oímos	oímos	oiremos	oigan / no oigan (Vds.)	oigamos	oyéramos / oyésemos
oís	oísteis	oiréis		oigáis	oyerais / oyeseis
oyen	oyeron	oirán		oigan	oyeran / oyesen

PEDIR

Presente ind.	Pret. indef.	Futuro	Imperativo	Presente sub.	Pret. imperfecto sub.
pido	pedí	pediré	pide / no pidas (tú)	pida	pidiera / pidiese
pides	pediste	pedirás	pida / no pida (Vd.)	pidas	pidieras / pidieses
pide	pidió	pedirá	pedid / no pidáis (vosotros)	pida	pidiera / pidiese
pedimos	pedimos	pediremos	pidan / no pidan (Vds.)	pidamos	pidiéramos / pidiésemos
pedís	pedisteis	pediréis		pidáis	pidierais / pidieseis
piden	pidieron	pedirán		pidan	pidieran / pidiesen

PREFERIR

Presente ind.	Pret. indef.	Futuro	Imperativo	Presente sub.	Pret. imperfecto sub.
prefiero	preferí	preferiré	prefiere / no prefieras (tú)	prefiera	prefiriera / prefiriese
prefieres	preferiste	preferirás	prefiera / no prefiera (Vd.)	prefieras	prefirieras / prefirieses
prefiere	prefirió	preferirá	preferid / no prefiráis (vosotros)	prefiera	prefiriera / prefiriese
preferimos	preferimos	preferiremos	prefieran / no prefieran (Vds.)	prefiramos	prefiriéramos / prefiriésemos
preferís	preferisteis	preferiréis		prefiráis	prefirierais / prefirieseis
prefieren	prefirieron	preferirán		prefieran	prefirieran / prefiriesen

PODER

Presente ind.	Pret. indef.	Futuro	Imperativo	Presente sub.	Pret. imperfecto sub.
puedo	pude	podré	puede / no puedas (tú)	pueda	pudiera / pudiese
puedes	pudiste	podrás	pueda / no pueda (Vd.)	puedas	pudieras / pudieses
puede	pudo	podrá	poded / no podáis (vosotros)	pueda	pudiera / pudiese
podemos	pudimos	podremos	puedan / no puedan (Vds.)	podamos	pudiéramos / pudiésemos
podéis	pudisteis	podréis		podáis	pudierais / pudieseis
pueden	pudieron	podrán		puedan	pudieran / pudiesen

PONER

Presente ind.	Pret. indef.	Futuro	Imperativo	Presente sub.	Pret. imperfecto sub.
pongo	puse	pondré	pon / no pongas (tú)	ponga	pusiera / pusiese
pones	pusiste	pondrás	ponga / no ponga (Vd.)	pongas	pusieras / pusieses
pone	puso	pondrá	poned / no pongáis (vosotros)	ponga	pusiera / pusiese
ponemos	pusimos	pondremos	pongan / no pongan (Vds.)	pongamos	pusiéramos / pusiésemos
ponéis	pusisteis	pondréis		pongáis	pusierais / pusieseis
ponen	pusieron	pondrán		pongan	pusieran / pusiesen

QUERER

Presente ind.	Pret. indef.	Futuro	Imperativo	Presente sub.	Pret. imperfecto sub.
quiero	quise	querré	quiere / no quieras (tú)	quiera	quisiera / quisiese
quieres	quisiste	querrás	quiera / no quiera (Vd.)	quieras	quisieras / quisieses
quiere	quiso	querrá	quered / no queráis (vosotros)	quiera	quisiera / quisiese
queremos	quisimos	querremos	quieran / no quieran (Vds.)	queramos	quisiéramos / quisiésemos
queréis	quisisteis	querréis		queráis	quisierais / quisieseis
quieren	quisieron	querrán		quieran	quisieran / quisiesen

RECORDAR

Presente ind.	Pret. indef.	Futuro	Imperativo	Presente sub.	Pret. imperfecto sub.
recuerdo	recordé	recordaré	recuerda / no recuerdes (tú)	recuerde	recordara / recordase
recuerdas	recordaste	recordarás	recuerde / no recuerde (Vd.)	recuerdes	recordaras / recordases
recuerda	recordó	recordará	recordad / no recordéis (vos.)	recuerde	recordara / recordase
recordamos	recordamos	recordaremos	recuerden / no recuerden (Vds.)	recordemos	recordáramos / recordásemos
recordáis	recordasteis	recordaréis		recordéis	recordarais / recordaseis
recuerdan	recordaron	recordarán		recuerden	recordaran / recordasen

SABER

Presente ind.	Pret. indef.	Futuro	Imperativo	Presente sub.	Pret. imperfecto sub.
sé	supe	sabré	sabe / no sepas (tú)	sepa	supiera / supiese
sabes	supiste	sabrás	sepa / no sepa (Vd.)	sepas	supieras / supieses
sabe	supo	sabrá	sabed / no sepáis (vosotros)	sepa	supiera / supiese
sabemos	supimos	sabremos	sepan / no sepan (Vds.)	sepamos	supiéramos / supiésemos
sabéis	supisteis	sabréis		sepáis	supierais / supieseis
saben	supieron	sabrán		sepan	supieran / supiesen

SALIR

Presente ind.	Pret. indef.	Futuro	Imperativo	Presente sub.	Pret. imperfecto sub.
salgo	salí	saldré	sal / no salgas (tú)	salga	saliera / saliese
sales	saliste	saldrás	salga / no salga (Vd.)	salgas	salieras / salieses
sale	salió	saldrá	salid / no salgáis (vosotros)	salga	saliera / saliese
salimos	salimos	saldremos	salgan / no salgan (Vds.)	salgamos	saliéramos / saliésemos
salís	salisteis	saldréis		salgáis	salierais / salieseis
salen	salieron	saldrán		salgan	salieran / saliesen

SEGUIR

Presente ind.	Pret. indef.	Futuro	Imperativo	Presente sub.	Pret. imperfecto sub.
sigo	seguí	seguiré	sigue / no sigas (tú)	siga	siguiera / siguiese
sigues	seguiste	seguirás	siga / no siga (Vd.)	sigas	siguieras / siguieses
sigue	siguió	seguirá	seguid / no sigáis (vosotros)	siga	siguiera / siguiese
seguimos	seguimos	seguiremos	sigan / no sigan (Vds.)	sigamos	siguiéramos / siguiésemos
seguís	seguisteis	seguiréis		sigáis	siguierais / siguieseis
siguen	siguieron	seguirán		sigan	siguieran / siguiesen

SER

Presente ind.	Pret. indef.	Futuro	Imperativo	Presente sub.	Pret. imperfecto sub.
soy	fui	seré	sé / no seas (tú)	sea	fuera / fuese
eres	fuiste	serás	sea / no sea (Vd.)	seas	fueras / fueses
es	fue	será	sed / no seáis (vosotros)	sea	fuera / fuese
somos	fuimos	seremos	sean / no sean (Vds.)	seamos	fuéramos / fuésemos
sois	fuisteis	seréis		seáis	fuerais / fueseis
son	fueron	serán		sean	fueran / fuesen

SERVIR

Presente ind.	Pret. indef.	Futuro	Imperativo	Presente sub.	Pret. imperfecto sub.
sirvo	serví	serviré	sirve / no sirvas (tú)	sirva	sirviera / sirviese
sirves	serviste	servirás	sirva / no sirva (Vd.)	sirvas	sirvieras / sirvieses
sirve	sirvió	servirá	servid / no sirváis (vosotros)	sirva	sirviera / sirviese
servimos	servimos	serviremos	sirvan / no sirvan (Vds.)	sirvamos	sirviéramos / sirviésemos
servís	servisteis	serviréis		sirváis	sirvierais / sirvieseis
sirven	sirvieron	servirán		sirvan	sirvieran / sirviesen

TRADUCIR

Presente ind.	Pret. indef.	Futuro	Imperativo	Presente sub.	Pret. imperfecto sub.
traduzco	traduje	traduciré	traduce / no traduzcas (tú)	traduzca	tradujera / tradujese
traduces	tradujiste	traducirás	traduzca / no traduzca (Vd.)	traduzcas	tradujeras / tradujeses
traduce	tradujo	traducirá	traducid / no traduzcáis (vosotros)	traduzca	tradujera / tradujese
traducimos	tradujimos	traduciremos	traduzcan / no traduzcan (Vds.)	traduzcamos	tradujéramos / tradujésemos
traducís	tradujisteis	traduciréis		traduzcáis	tradujerais / tradujeseis
traducen	tradujeron	traducirán		traduzcan	tradujeran / tradujesen

VENIR

Presente ind.	Pret. indef.	Futuro	Imperativo	Presente sub.	Pret. imperfecto sub.
vengo	vine	vendré	ven / no vengas (tú)	venga	viniera / viniese
vienes	viniste	vendrás	venga / no venga (Vd.)	vengas	vinieras / vinieses
viene	vino	vendrá	venid / no vengáis (vosotros)	venga	viniera / viniese
venimos	vinimos	vendremos	vengan / no vengan (Vds.)	vengamos	viniéramos / viniésemos
venís	vinisteis	vendréis		vengáis	vinierais / vinieseis
vienen	vinieron	vendrán		vengan	vinieran / viniesen

Transcripciones

UNIDAD 1

A. Vida cotidiana

3. Pista 1

CARLOS, 12 AÑOS, ESTUDIANTE:
A mí me gusta bastante jugar al fútbol, pero también estoy aprendiendo a tocar el piano, así que tengo que tocar todos los días. En verano me gusta ir a la playa.

FERNANDO, JUBILADO, 67 AÑOS:
Yo estoy jubilado, así que monto en bicicleta todos los días, también oigo las noticias de la radio y, muchas veces, hago la compra, pues a mi mujer no le gusta nada ir al mercado.

ROCÍO, 20 AÑOS, DEPENDIENTA:
A mí me encanta leer novelas, especialmente las policíacas, leo una a la semana. Veo las noticias de la tele y también me gusta mucho salir con mis amigos a tomar algo, sobre todo los fines de semana.

CARMEN, 40 AÑOS, AMA DE CASA:
Yo soy ama de casa, tengo cuatro niños, y normalmente hago los trabajos de la casa. Por la tarde estudio ruso en la escuela de idiomas, y en mis ratos libres escucho música. Me gusta especialmente el jazz.

C. Julia me cae bien

Pronunciación y ortografía

2. Pista 3

Hace frío / No ha venido / ¿Quiere comer? / ¿Estudia mucho? ¿Le gusta la tortilla? / Esta esperando.

UNIDAD 2

A. En la estación

3. Pista 4

(EN LA ESTACIÓN)
CLIENTE: Hola, quería un billete para Alcalá de Henares para el tren de las 9.30.
TAQUILLERO: ¿Ida sólo o ida y vuelta?
CLIENTE: ¿Cuánto vale el de ida y vuelta?
TAQUILLERO: El billete de ida cuesta 2 euros y el de ida y vuelta 3,60 (tres sesenta).
CLIENTE: Pues... deme uno de ida y vuelta.

TAQUILLERO: Aquí tiene su billete, son 3,60.
CLIENTE: Gracias, adiós.

(EN EL AEROPUERTO)
AZAFATA: Buenos días, ¿me da el billete y el pasaporte?
PASAJERO: Aquí tiene.
AZAFATA: ¿Ventana o pasillo?
PASAJERO: Pasillo, por favor.
AZAFATA: ¿Estas son sus maletas?
PASAJERO: Sí, las dos marrones.
AZAFATA: Muy bien. Mire, esta es su tarjeta de embarque. Tiene que estar en la sala de embarque media hora antes de la salida, a las 6.35. Todavía no se sabe en qué sala. Mírelo en los paneles de información.
PASAJERO: ¿A qué hora ha dicho que tengo que embarcar?
AZAFATA: A las 6.35.
PASAJERO: Ah, vale, gracias.

5. Pista 5

Mi amigo Dimitri fue a pasar el domingo a la playa de Salou con sus amigos. Por la tarde fue a la estación a coger el tren para volver a Barcelona. Se despidió de sus amigos y subió a un tren que salía a la hora prevista en su billete, a las 20.45. Después de quince minutos de viaje pasó el revisor y al ver su billete le preguntó adónde iba. "A Barcelona", respondió él tan tranquilo. Y el revisor le explicó que se había equivocado de tren, pues aquel tren no iba a Barcelona, sino a Valencia, es decir, en dirección contraria. Además, era un tren de largo recorrido, así que la siguiente parada estaba a 45 minutos de allí. Dimitri tuvo que continuar hasta la siguiente parada. Allí se bajó y esperó toda la noche en la estación para coger el tren de las cinco de la madrugada que iba a Barcelona. ¡Menuda aventura!

B. ¿cómo vas al trabajo?

3. Pista 6

1. Normalmente voy al trabajo en coche. Es que vivo a quince kilómetros de Madrid y no hay ninguna estación de tren cerca de mi casa. Si no hay problemas tardo media hora en llegar, pero si hay algún atasco tardo una hora o, a veces, más. No me gusta mucho conducir, pero así puedo regresar a casa media hora antes y recoger a mi hija del colegio.

2. Yo vivo en el sur de Madrid y tengo que ir a la Universidad Autónoma, que está al norte. Primero voy en metro hasta

la plaza de Castilla. Tengo que hacer un transbordo en Gran Vía. En la plaza de Castilla tomo el autobús que va a la Universidad. La verdad es que está un poco lejos, tardo más de una hora en llegar. Durante el viaje puedo leer y estudiar algo, si no hay muchos pasajeros.

3. Yo vivo en Madrid y trabajo en Alcalá de Henares. No tengo coche, así que voy a trabajar en metro y en tren. Primero voy en metro hasta Atocha, es lo más rápido, y luego tomo el tren de cercanías hasta Alcalá de Henares. Tardo una hora en llegar, más o menos. Durante el viaje tengo tiempo de leer el periódico o una novela, o también puedo dormir, si tengo sueño. El tren es cómodo, rápido y barato.

Pronunciación y ortografía

2. Pista 8

¿Está libre? / ¡Qué pena! / ¿Vas a la compra? / ¡Qué barato! ¿Puedo salir? / ¡He aprobado! / ¡No es barato! / ¡Estás tonto! / ¿Te gusta? / ¡Es carísimo!

C. Intercambio de casa

7. Pista 9

MARIBEL:	¿Sí, dígame?
JUAN ZÚÑIGA:	¡Hola, buenos días! Soy Juan Zúñiga, desde México.
MARIBEL:	¡Ah, buenos días! ¿Cómo está usted?
JUAN ZÚÑIGA:	Pues, nada... Que llamaba para enterarme de cómo llegar a su casa en España.
MARIBEL:	Bien, desde Madrid, deben tomar la Nacional VI hasta Villacastín.
JUAN ZÚÑIGA:	¿Y qué distancia hay de Madrid a Villacastín?
MARIBEL:	Este pueblo está a unos 80 km de Madrid.
JUAN ZÚÑIGA:	¿Y una vez allí?
MARIBEL:	Desde Villacastín tienen que desviarse por la carretera que va a Segovia, y a cinco kilómetros del pueblo encontrarán una señal que indica la entrada a la urbanización: Coto de San Isidro.
JUAN ZÚÑIGA:	Cuando lleguemos a la urbanización, ¿cómo encontramos la casa?
MARIBEL:	Es muy fácil. En la entrada verán un hostal y una plaza con una fuente. Justo detrás de la fuente está nuestra casa. Las llaves están en el buzón.
JUAN ZÚÑIGA:	No parece muy difícil. De todas formas, si tenemos algún problema nos pondremos en contacto.
MARIBEL:	Muy bien. Me alegro de saludarle y espero que tengan un buen viaje.
JUAN ZÚÑIGA:	Gracias. ¡Hasta pronto!

A. Amigos

2. Pista 10

(PALOMA HABLA DE JAIME)
¿Qué me gusta de Jaime? Pues lo que más me gusta es su sentido del humor, es muy divertido, hace bromas continuamente. En su trabajo, por el contrario, es muy serio y formal. Con la familia y sus amigos es cariñoso y también generoso, hace bastantes regalos. Lo peor es que a veces se pone un poco terco. Físicamente es muy alto. Cuando le conocí tenía el pelo un poco largo y rizado, pero ahora no tiene mucho, está casi calvo y lleva gafas. Es bastante presumido, le gusta comprarse ropa.

(JAIME HABLA DE PALOMA)
De Paloma me gusta mucho su mirada. Tiene unos ojos grandes y expresivos, unas veces alegres y otras, tristes. Es muy ordenada, y también es sociable, le gusta mucho organizar actividades con los amigos y reunir a toda la familia alrededor de una mesa llena de comida. Tiene el pelo castaño y largo. Lo que menos me gusta es que a veces se enfada conmigo.

(ROSA HABLA DE PACO)
Con Paco nunca me aburro. Unas veces es un niño grande que inventa juegos para sus hijos y otras veces es un hombre serio, preocupado por todos los problemas de la Humanidad. Es muy inteligente, amable con casi todo el mundo, pero cuando se enfada es terrible.
No es muy alto, lleva el pelo largo y tiene bigote y perilla; no le preocupa mucho la ropa.

(PACO HABLA DE ROSA)
Lo que me gustó de Rosa cuando la conocí fue su generosidad y amabilidad. Es comprensiva y sabe escuchar, por eso la gente le cuenta sus problemas. Es muy romántica, le gustan las puestas de sol, las flores, las cenas para dos, y también le gusta ir al campo con sus amigos y andar. No es muy alta, es delgada y siempre lleva el pelo corto. Le gusta ponerse vaqueros, pero es elegante cuando sale.

C. Tengo problemas

5. Pista 13

A.	ALICIA:	¿Sabes?, me gusta un chico de la clase de español.
	BEA:	¿Ah sí?, ¿quién?
	ALICIA:	Se llama Peter y es inglés.
	BEA:	¿Qué tal es?
	ALICIA:	Es alto, no muy guapo, pero es simpático y parece tranquilo. Yo creo que también le gusto, porque me he dado cuenta de que me mira

mucho, pero no sé qué hacer, porque no estoy segura…

BEA: Yo en tu lugar le preguntaría algo de gramática, le pediría el diccionario, en fin...

B. GONZALO: Estoy harto de mis padres, me voy a ir de casa.

ADRIÁN: Pero hombre, ¿qué te pasa?

GONZALO: Ya te lo he dicho, estoy harto de mis padres. Son pesadísimos, todos los días me preguntan por las clases, los exámenes, si estudio o no. Mi madre me mira la ropa para ver si fumo. Ayer estaba viendo la tele tan tranquilo y mi padre se sentó a mi lado, a preguntarme por mis amigos, si tengo problemas, en fin, un rollo.

Adrián: Bueno, hombre, no te preocupes, todos los padres o casi todos son iguales, tú tranquilo. Lo que tienes que hacer es salir más con nosotros y no contar nada en casa. Yo en tu lugar no me preocuparía. ¿Adónde vas a ir a vivir si no tienes dinero ni trabajo?

UNIDAD 4

A. ¡cuánto tiempo sin verte!

2. Pista 15

LAURA: ¡Hombre, Javier, cuánto tiempo sin verte!

JAVIER: ¡Hola, Laura, no te conocía! ¿Qué es de tu vida? ¿Acabaste la carrera?

LAURA: Bueno, la verdad es que no. La vida me cambió mucho. Cuando estaba terminando, encontré un trabajo en una inmobiliaria. Dejé de estudiar y estuve trabajando en esa empresa hasta que conocí a Juan y montamos nuestro propio negocio. Además, nos hemos casado y tenemos dos hijos. ¿Y tú, qué tal?

JAVIER: Pues yo terminé la carrera y empecé a trabajar en una agencia publicitaria. Desde entonces, sigo trabajando para la misma empresa, pero ya no vivo en Madrid. He estado viajando por media España: Córdoba, Sevilla, Barcelona...

LAURA: ¿Y ahora dónde vives?

JAVIER: Me he comprado una casa en el campo, cerca de Segovia, y llevo viviendo allí dos años.

LAURA: ¿Y Ana, tu mujer, qué tal?

JAVIER: Me divorcié hace cuatro años, pero me volví a casar el año pasado. Ahora estamos esperando nuestro primer hijo para el mes que viene.

LAURA: ¿Y qué haces por Madrid?

JAVIER: He venido a ver a mi familia. Mi madre ha estado enferma últimamente y he venido a pasar unos días con ella. Bueno; ¿y tú qué haces por aquí?

LAURA: Estoy esperando a unos amigos para ir al teatro.

Hoy mi marido se ha quedado con los niños. Bueno, me voy que ya están aquí. Yo sigo teniendo el mismo teléfono. Llámame un día y conoces a mis hijos y a mi marido.

JAVIER: ¡Ah, muy bien! Os llamo la semana que viene.

B. La educación antes y ahora

7. Pista 16

CÉSAR: ¿Escuchaste el programa sobre educación que pusieron ayer en la televisión?

ANA: Sí, pero no estoy de acuerdo con algunas de las cosas que dijeron. Yo creo que la educación que reciben nuestros hijos hoy en día es mejor que la de antes. Antes sólo se utilizaba la memoria y los alumnos no aprendían a razonar.

CÉSAR: Pero ahora el gran problema es que los chicos no tienen interés por los estudios y no respetan al profesor. No prestan atención en las clases y así no aprenden nada.

ANA: Yo creo que antes la relación con los profesores era mucho peor. Los profesores eran muy estrictos y no facilitaban la comunicación con el alumno. Además las chicas estábamos separadas de los chicos y eso no nos preparaba para la vida, donde todos estamos juntos.

CÉSAR: Sí, pero el silencio y la atención en clase eran mucho mayores y eso facilitaba el aprendizaje.

ANA: Pero eso no era realmente aprender: no podías participar, no podías hacer preguntas y mucha gente se perdía por el camino.

CÉSAR: Ahora nuestras escuelas son mixtas, pero también muchos alumnos se pierden, porque cuando un alumno no tiene interés por lo que está aprendiendo yo creo que no tiene solución.

ANA: Para mí lo importante es convencer al alumno de que tiene que aprender para buscarse un lugar en la vida y facilitarle el trabajo para seguir avanzando, pero si él no hace el esfuerzo de estudiar, el sistema de enseñanza no va a poder hacer nada por él.

UNIDAD 5

A. ¿Por qué soy vegetariano?

3. Pista 18

¿POR QUÉ SOY VEGETARIANO?

Yo creo que estaba destinado a ser vegetariano, pues poco a poco me di cuenta de que la carne y todos sus derivados me afectaban físicamente, y empezó a no gustarme la idea de comer animales.

A medida que pasaban los meses dejé primero la carne, después el pollo, el pescado y más tarde los huevos y la leche. Comencé a leer algunos libros interesantes y el que más ha cambiado mi vida ha sido el libro de *La antidieta*. Una de las cosas que comencé a hacer al leer este libro fue desayunar fruta por las mañanas para desintoxicarme diariamente, así que cada mañana comienzo el día con fruta fresca y zumos y no como nada más hasta el mediodía, para que mi cuerpo pueda limpiarse.

Cuando me convertí en vegetariano, la reacción de los que estaban a mi alrededor (mi familia, amigos, etc.) fue muy cruel. Estaban constantemente insistiendo en ir a tomar una hamburguesa. Ahora, muchos de ellos, incluida mi madre, se han hecho vegetarianos. Mis hijos, por supuesto, serán vegetarianos, y si quieren comer perritos calientes, haré todo lo posible para informarles de lo que hay en un perrito caliente antes de comérselo.

Me gusta cocinar muchas cosas. Me encantan las verduras al horno, las zanahorias y las cebollas con un poquito de aceite de oliva, sal y pimienta. Me gustan mucho los cereales y las legumbres, pero mi plato favorito es un pastel de tomate y patatas.

Es estupendo invitar a mis amigos a cenar e impresionarles con una buena comida y, al final de la cena, informarles de que no se han empleado animales en ninguno de los platos.

B. Las otras medicinas

4. Pista 19

El saludo al sol
El saludo al sol es un ejercicio de yoga que consiste en una serie de movimientos suaves sincronizados con la respiración. Una vez que haya aprendido las posturas, es importante que las combine con una respiración rítmica.

1. De pie expire al tiempo que junta las manos a la altura del pecho.
2. Aspire y estire los brazos por encima de la cabeza. Inclínese hacia atrás.
3. Expirando, lleve las manos al suelo, a cada lado de los pies, de forma que los dedos de manos y pies estén en línea.
4. Aspire al tiempo que estira hacia atrás la pierna derecha y baje la rodilla derecha hasta el suelo.
5. Conteniendo la respiración lleve hacia atrás la otra pierna y estire el cuerpo.
6. Apoye las rodillas, el pecho y la frente sobre el suelo.
7. Aspire, deslice las caderas hacia delante e incline la cabeza hacia atrás.
8. Expire y, sin mover las manos ni los pies, levante las caderas.
9. Aspire y lleve el pie derecho hacia delante. Estire hacia atrás la pierna izquierda.
10. Lleve el otro pie hacia delante. Estire las rodillas y toque las piernas con la frente.
11. Aspire a la vez que inclina la espalda con la cabeza hacia atrás y mantiene los brazos junto a las orejas.
12. Expire al tiempo que regresa a la posición inicial.

C. El sueño

Pronunciación y ortografía

3. Pista 21

El jueves pasado jugué al fútbol con Martín.
El guepardo es un animal muy rápido.
Lávate las manos con jabón.
El novio de Isabel es muy guapo.
En el jardín de Luis hay dos geranios
Tu corbata es igual que la mía.
Luis, toca la guitarra, por favor.
Julia, tráeme la agenda que está al lado del teléfono.
María ha tejido en jersey para su nieto.
Para llegar al hotel, sigue todo recto y luego gira a la derecha.

UNIDAD 6

A. Ecológicamente correcto

4. Pista 22

ENTREVIS.: Hoy tenemos con nosotros a un representante de la organización Greenpeace en España. Buenas tardes, Miguel. ¿Cuáles son los objetivos de vuestra organización?

MIGUEL: Greenpeace es una organización internacional que trabaja para conseguir un mundo mejor para las futuras generaciones. Queremos que el mundo esté libre de guerras y que nuestro medio ambiente sea más limpio. Por todo esto nos preocupa que haya atentados ecológicos como la deforestación, la contaminación de la atmósfera y de los océanos.

ENTREVIS.: ¿Vosotros creéis que la situación del planeta tiene arreglo en el futuro?

MIGUEL: A nosotros nos gustaría. Para ello, las empresas, los gobiernos y las organizaciones ecologistas deben trabajar conjuntamente. El tiempo para salvar nuestro planeta se está agotando y no entiendo por qué las grandes industrias no hacen algo. Si no se cambian las formas de organización, puede que muy pronto sea demasiado tarde.

ENTREVIS.: ¿Os sentís comprendidos por la gente?

MIGUEL: En algunas acciones sí, pero, en otras, no tanto. A mí me molesta que algunas personas me consideren un terrorista por defender el medio ambiente. Nosotros, la gente de Greenpeace, sólo somos un grupo de personas con una misión común: defender la tierra.

ENTREVIS.: Y desde aquí, ¿cómo podemos ayudaros?

MIGUEL: Lo ideal sería conseguir más socios. Necesitamos dinero para continuar con nuestras campañas. Por favor, ayúdanos a ayudarte.

ENTREVIS.: Muchas gracias, Miguel. Espero que esta entrevista os ayude en vuestra lucha contra la contaminación del planeta.

MIGUEL: Muchas gracias.

B. Silencio, por favor

Pronunciación y ortografía

2. Pista 23

Es conveniente que los bares cierren a las once.
En las zonas de ocio hay mucho ruido.
Dicen que van a fabricar coches más silenciosos.
Greenpeace es una organización dedicada a defender la naturaleza.
Las denuncias que hacen los vecinos son inútiles.

UNIDAD 7

A. Un buen trabajo

4. Pista 24

FERNANDO CASILLAS, 21 años, estudiante de empresariales. Lleva un mes y medio como vendedor en las tiendas de Duty Free del aeropuerto de Barajas. Trabaja nueve horas tres días seguidos y descansa dos.
Le llamaron enseguida de la ETT donde presentó la solicitud. Firmó un contrato de seis meses. Del modo de funcionamiento de la ETT le parece positivo el acceso rápido y fácil a un trabajo que le gusta y le sirve de complemento a sus estudios. El horario es cómodo y le permite seguir estudiando.
El aspecto negativo es que, aunque realiza el mismo trabajo que sus compañeros con contrato fijo, gana menos que ellos y tiene menos privilegios.
Dice: "Cobro menos que ellos y no me dan un plus por desplazamiento, ni gano comisiones por ventas, pero no me quiero quejar. Antes estuve seis meses trabajando en un centro comercial y era mucho peor. Algunas semanas trabajaba 30 horas y otras 14, y como cobraba por horas, no podía contar con ingresos fijos".

MARTA RODRÍGUEZ, 27 años, secretaria de dirección. Hace unas semanas firmó su segundo contrato con una ETT.

Trabaja como auxiliar administrativa en una empresa de comunicación. Horario: de lunes a viernes, de 9:30 a 18:30. Después de pasar por varios trabajos, Marta se decidió a enviar su currículo a una ETT, con el fin de ahorrar tiempo y dinero en la búsqueda de trabajo. Primero le ofrecieron una suplencia de tres semanas. Después le llegó su trabajo actual, un contrato de tres meses, con posibilidades de quedarse fija en la empresa. Lo que menos le gusta son las pruebas tan duras que hacen en la ETT: "Son gente agradable, pero los test psicotécnicos y de matemáticas son para volverse loca". Tampoco le parece bien la poca información que recibió al firmar el contrato. Dice: "No sabía a qué empresa iba ni qué iba a hacer en ella".
En el aspecto positivo, valora la precisión de los contratos que ofrecen las ETT. "Son los más perfectos que he visto en mi vida, está todo bien especificado. En el trabajo actual estoy contenta, me siento como una más de la empresa y, además, creo que me pagan bien".

C. Si tuviera dinero...

Pronunciación y ortografía

3. Pista 26

Lloviera / Hablara / Beberá / Comiera / Tuviera / Leeremos / Bebiera / Escribiremos / Dijeran / Escribiera.

UNIDAD 8

A. Deportes

3. Pista 27

ENTREVIS.: Felicidades, Fernando. Acabamos de disfrutar de un momento histórico para el automovilismo español. ¿Cómo te encuentras?

F. ALONSO: Es imposible describir lo que siento ahora. Me siento feliz y es un día extraordinario para mí.

ENTREVIS.: ¿Cómo fue la concentración durante la carrera?

F. ALONSO: He estado muy concentrado durante toda la carrera, pero no pude evitar pensar en el título desde la primera vuelta.

ENTREVIS.: ¿Nos podrías describir tus emociones en este momento?

F. ALONSO: Ahora pienso que este título es lo máximo a lo que podía aspirar en esta vida. Le dedico esta victoria a mi familia y amigos. También le doy las gracias a toda España y a la afición.

ENTREVIS.: ¿Piensas celebrarlo en España?

F. ALONSO: Tenía pensado hacer algo. Pero hemos tenido que anular casi todo.

ENTREVIS.: ¿Podemos llamarte ya campeón?

F. ALONSO: Ahora ya sí. Suena muy bien.

ENTREVIS.: ¿Qué te dijo el Rey al felicitarte?

F. ALONSO: Pues, nada… Que se había emocionado y que había pasado muchos nervios durante toda la carrera.

ENTREVIS.: ¿Cuándo pensaste que ya estaba ganado el título mundial?

F. ALONSO: Al cruzar la meta. Sólo entonces.

ENTREVIS.: ¿Qué opinas de Raikkonen como rival?

F. ALONSO: Ha hecho una competición fantástica. Su trabajo ha dado más valor a mi título mundial.

ENTREVIS.: ¿Es el comienzo de una nueva era?

F. ALONSO: No. Otros grandes pilotos pueden ganar el título también. El año próximo puede ser muy diferente.

ENTREVIS.: ¿Es especial batir a Schumacher?

F. ALONSO: Vencerle este año ha supuesto una felicidad extra para mí. Todo el mundo quería batirle en la pista, porque era como derrotar a Lance Armstrong en el Tour de Francia, y yo lo he logrado.

6. Pista 28

ENTREVIS.: Tenemos hoy con nosotros a una joven deportista que nació en Colindres (Cantabria) hace 16 años, a quien le gusta pasear por la playa y charlar con los amigos. En junio logró la medalla de oro en los Campeonatos del Mundo Júnior de Taekwondo que se celebraron en Corea del Sur. Se llama Laura Urriola.

ENTREVIS.: ¡Hola, Laura! ¿Por qué decidiste practicar este deporte?

LAURA: Mi hermano iba al gimnasio a hacer pesas. Un día me llevó porque me quería apuntar a kárate, pero probé el taekwondo y me gustó mucho.

ENTREVIS.: Este verano te proclamaste campeona del mundo en Corea. ¿Fue duro alcanzar el oro?

LAURA: Había bastante nivel. En la final peleé contra una turca que me lo puso muy difícil.

ENTREVIS.: Después de proclamarte campeona, rechazaste una beca para ingresar en un centro de alto rendimiento. ¿No te apetecía?

LAURA: Creo que todavía soy joven y prefiero estar en casa con mis padres. Cuando empiece la universidad, a lo mejor, pero, de momento, las cosas me van bien.

ENTREVIS.: ¿Y qué carrera quieres estudiar?

LAURA: Me gustaría ser profesora de Educación Física, pero aún no lo tengo muy claro.

ENTREVIS.: ¿Cómo te las arreglas para compaginar los estudios con los entrenamientos.

LAURA: Es complicado y hay que sacrificarse mucho.

ENTREVIS.: Dedicas mucho tiempo a los entrenamientos.

LAURA: Unas tres horas al día. Me entreno por la mañana, antes de ir al colegio y por la tarde.

ENTREVIS.: ¿Madrugas mucho?

LAURA: Bueno, sí. A las siete de la mañana tengo que estar en el gimnasio.

ENTREVIS.: ¿Te gustaría estar en los Juegos Olímpicos del 2012?

LAURA: Por supuesto, el sueño olímpico nunca se te quita de la cabeza, pero hay que ser realista y sé que ir a unos Juegos es muy complicado.

ENTREVIS.: Bueno, Laura, muchas gracias, sólo nos queda desearte toda la suerte del mundo en tu futuro como deportista.

B. ¿Salimos?

2. Pista 29

ANA: Mira, Pedro, ¿qué podemos hacer esta tarde?

PEDRO: Podemos ir al cine.

ANA: ¿Y si hacemos algo diferente? Tengo aquí la cartelera y hay algunas cosas que parecen muy interesantes. Mira este espectáculo de danza.

PEDRO: ¿Qué tipo de danza es?

ANA: Es ballet clásico.

PEDRO: No, preferiría algo distinto.

ANA: Podemos ir a ver el espectáculo de flamenco *Los Tarantos*.

PEDRO: Empieza un poco tarde. ¿Y si vamos a ver *El circo del sol*? Creo que tienen un nuevo espectáculo muy interesante.

ANA: Ya los vimos actuar el año pasado. Preferiría algo distinto… ¿Qué te parece el espectáculo de Nacho Cano de *Hoy no me puedo levantar*? Me han dicho que es un musical muy bueno.

PEDRO: ¡Ah, vale, buena idea! ¿A qué hora empieza?

ANA: A las nueve de la noche.

PEDRO: Muy buena hora. ¿Dónde quedamos?

ANA: Podemos quedar en la puerta de mi oficina.

PEDRO: Bien, ¿a qué hora quedamos?

ANA: ¿Qué tal a las siete y tomamos unas tapas antes de entrar?

PEDRO: Estupendo. Nos vemos a las siete, entonces.

ANA: Bien, de acuerdo.

C. Música, arte y literatura

7. Pista 30

— (*Generosa sube. Fernando la saluda muy sonriente*) Buenos días.

— Hola, hijo. ¿Quieres comer?

— Gracias, que aproveche. ¿Y el señor Gregorio?

— Muy disgustado, hijo. Como lo retiran por la edad… Y es lo que él dice: "¿De qué sirve que un hombre se deje los huesos conduciendo un tranvía durante cincuenta años, si luego le ponen en la calle?". Y si le dieran un buen retiro... Pero es una miseria, hijo; una miseria. ¡Y a mi Pepe no hay quien lo encarrile! *(Pausa)* ¡Qué vida! No sé cómo vamos a salir adelante.

— Lleva usted razón. Menos mal que Carmina...
— Carmina es nuestra única alegría. Es buena, trabajadora, limpia... Si mi Pepe fuese como ella...
— No me haga mucho caso, pero creo que Carmina la buscaba antes.
— Sí. Es que se me había olvidado la cacharra de la leche. Ya la he visto. Ahora sube ella. Hasta luego, hijo.
— Hasta luego.

UNIDAD 9

A. Sucesos

8. Pista 31

...Y ahora, pasamos al apartado de sucesos.
Un hombre ha sido condenado a pagar a su ex mujer la mitad del premio que le tocó en la lotería Primitiva, aunque ambos habían iniciado ya los trámites de separación. El Tribunal Supremo ha sentenciado que el premio de 2 millones de euros pertenece a los bienes gananciales del matrimonio y, por tanto, que la mujer tiene derecho a percibir su parte.

El pasado mes de octubre, cuando aún no estaban separados legalmente, Diego, el marido de Juani, durante un viaje a Madrid rellenó un boleto de la lotería Primitiva. En esta ocasión se hizo realidad el refrán: "afortunado en el juego, desgraciado en amores".

A continuación las noticias deportivas...

B. ¡Cásate conmigo!

7. Pista 32

¡VAYA SUSTO!
Eran las nueve de la mañana. Estábamos en el aeropuerto esperando la salida de nuestro avión hacia Nueva York. Cuando estábamos facturando nuestro equipaje nos dijeron que enseñáramos nuestros pasaportes. Mi hijo Sergio no lo encontraba. La azafata nos recomendó que fuéramos al puesto de policía del aeropuerto. Allí le pidieron que rellenara un impreso y que entregara dos fotografías; como no las tenía, le sugirieron que se las hiciera en una máquina que había allí cerca. Una vez entregada la documentación, nos dijeron que recogiéramos el pasaporte en 30 minutos. Con el tiempo muy justo y el susto en el cuerpo conseguimos coger nuestro avión en el último momento.

C. Quiero que mi ciudad esté bonita

5. Pista 33

MARCOS RODRÍGUEZ, 34 años. "Quiero que este año me toque el gordo de Navidad y así poder pagar la hipoteca de mi casa. Lo que deseo es vivir sin muchos problemas económicos".

ANDREA RODRÍGUEZ, 28 años. "Yo quiero volver a Roma y pasarme allí tres meses. Estuve el verano pasado y me encantó. Me gustaría vivir allí para siempre".

RAQUEL MOLINA, 8 años. "Yo quiero ser famosa, quiero ser una cantante famosa. Me gustaría salir en la tele".

ALBERTO BARRIOS, 9 años. "Yo quiero que mi madre me compre un perro, pero no sé si me lo comprará. Ya lo he pedido otros años, y no ha sido posible. A lo mejor este año es el bueno".

ÓSCAR RUBIO, 29 años. "¿Un deseo? Tengo varios deseos, pero, básicamente, quiero encontrar un trabajo bueno y que mi novia Cati se case conmigo, hace cinco años que somos novios, y que bajen los precios de los pisos...".

ALEJANDRA GARCÍA, 78 años. "Yo pediría un nuevo amor, pero a mis años... En realidad sólo deseo seguir como estoy, tener salud. Me gustaría viajar, pero como ya soy muy mayor no tengo muchas condiciones".

Pronunciación y ortografía

5. Pista 36

¿Adónde vas con esa ropa tan elegante?
A Luis le gusta mucho poner apio en la ensalada.
Mi padre necesita la pala para trabajar en el jardín.
Este chico es bobo, ahora resulta que no sabe multiplicar.
¿Te has tomado el jarabe para la tos?
Me encanta este jabón, huele estupendamente.
Este tren es muy rápido.

D. Escribe

4. Pista 37

1. Hola, Mari Carmen. Soy mamá. Llegamos mañana a la 10 de la mañana a la estación de Chamartín. Ven a buscarnos con el coche que vamos muy cargados con las maletas. Un beso. ¡Hasta mañana!

2. Oye, Pepe, mira, soy Luisa, que no puedo ir de ninguna manera esta tarde a tu fiesta de cumpleaños. No me acordaba de que tengo que presentar mañana el trabajo de inglés. Pasadlo bien. Besitos.

3. Luis, soy tu hermana. Me sobran dos entradas para el concierto del jueves en el Auditorio. Si quieres ir con Paqui llámame esta noche. Venga, ¡hasta luego!

UNIDAD 10

A. De viaje

2. Pista 38

LOCUTORA: Todo el año esperando las vacaciones y ya están aquí, pero... ¿vas a dedicar tu verano a realizar ese viaje que siempre has soñado, o quizás te veas atrapado otra vez por la realidad de tu economía? Veamos qué planes tienen nuestros invitados. Cuéntanos, Alejandra.

ALEJANDRA: Bueno, este año seguramente será mitad descanso y mitad trabajo. Estoy montando un negocio de diseño de moda y voy a recorrer varias ciudades del Mediterráneo, relajándome y visitando clientes.

LOCUTORA: Preguntemos ahora al más joven. Eduardo, ¿qué quieres hacer este verano?

EDUARDO: No sé, pero..., si pudiera escoger, seguramente me iría a algún lugar exótico a bucear, por ejemplo, a las islas Galápagos. Pero como es muy caro quizás coja la mochila y haga un viaje en tren por Europa.

LOCUTORA: ¿Y tú, María? ¿Cómo serían tus vacaciones ideales?

MARÍA: ¡Puff...! Para que fuesen perfectas necesitaría un año sabático y recorrer toda América del Sur, me gustaría conocer el Perito Moreno. Pero como no puede ser, a lo mejor me voy unos días a la Costa Brava con mi familia.

LOCUTORA: Por último, Rodrigo, ¿qué prefieres: playa o montaña?

RODRIGO: Me encanta la montaña, pero no me imagino un verano sin playa. Lo más seguro es que primero vaya con mis amigas a Cádiz, porque queremos hacer un curso de vela. Después quizás me vaya una semanita con mi novia a Menorca.

LOCUTORA: Bueno, como pueden ver, no faltan ideas para estas vacaciones. Sólo necesitamos que el buen tiempo nos acompañe.

B. Alojamientos

3. Pista 39

1. (CONVERSACIÓN TELEFÓNICA EN UN HOTEL)

RECEP.: Recepción, dígame.

CLIENTE: Buenos días. ¿Sería posible que me subieran el desayuno a la habitación, por favor?

RECEP.: Sí, señor, por supuesto. ¿Qué desea tomar?

CLIENTE: Dos cafés con leche, tostadas y mantequilla y mermelada, si es tan amable.

RECEP.: De acuerdo, señor. En diez minutos se lo subirán a su habitación.

CLIENTE: Muchas gracias.

2. (EN LA RECEPCIÓN DE UN ALBERGUE)

CLIENTE: ¡Hola, buenas tardes!

RECEP.: Buenas tardes. ¿En qué puedo ayudarte?

CLIENTE: Mira, ¿podrías dejarnos alguna manta más para nuestra habitación? Parece que hace bastante frío esta noche.

RECEP.: ¡Cómo no! ¿Cuántas necesitáis?

CLIENTE: Dos, una para cada cama.

RECEP.: Aquí las tienes.

CLIENTE: Muchas gracias. ¡Hasta luego!

RECEP.: ¡Hasta luego!

3. (CONVERSACIÓN TELEFÓNICA EN UN HOTEL)

RECEP.: Buenas noches, ¿dígame?

CLIENTA: Hola, buenas noches. ¿Serían tan amables de despertarme a las siete de la mañana?

RECEP.: Claro que sí, señora. Ya lo dejo aquí anotado para que mi compañero la despierte mañana.

CLIENTA: Muchas gracias, muy amable.

RECEP.: Adiós, buenas noches.

4. (EN LA RECEPCIÓN DE UN HOTEL)

RECEP.: Buenas tardes, señores. ¿En qué puedo atenderles?

CLIENTE: ¿Le importaría pedir a alguien que nos revisara el aire acondicionado de la habitación, por favor?

RECEP.: Sí, ahora mismo. ¿Cuál es el problema?

CLIENTE: Hace un ruido insoportable.

RECEP.: De acuerdo, señores, dentro de un momento subirá el técnico.

CLIENTE: Muchas gracias. Aquí le dejo la llave.

C. Historias de viajes

3. Pista 43

Nunca olvidaré cómo empezó mi viaje a Nueva York.
Llegué al aeropuerto de Barajas y facturé mi equipaje.
Estaba haciendo mis últimas compras mientras esperaba para embarcar, cuando, de repente, me di cuenta de que había perdido mi tarjeta de embarque.
Todo el mundo estaba entrando en el avión y yo no podía embarcar. Creía que me quedaba en tierra. De repente, por el altavoz oí mi nombre solicitando que me presentara en el mostrador de Iberia. Una niña la había encontrado junto a la puerta del servicio.
Por fin, ya en el avión, comenzó mi viaje de ocho horas atravesando el océano.
Al llegar al aeropuerto Kennedy, en Nueva York, todos los pasajeros fuimos a recoger nuestro equipaje.

Poco a poco mis compañeros de viaje iban desapareciendo con sus maletas, hasta que me encontré yo sola con una única maleta, que no era la mía, girando sobre la cinta de equipajes.

Ya no sabía qué hacer. Me dirigía hacia el puesto de policía y, al verme tan nerviosa, me pidieron que me sentara y me tranquilizara. De repente vi llegar a un señor corriendo con mi maleta en la mano, tratando de aclarar el malentendido. Me explicó que se había llevado mi maleta por error, ya que se parecía bastante a la suya, que seguía girando en la cinta de equipajes. No pude evitar el darle un abrazo de alegría al ver que podía continuar mi viaje tranquilamente.

El resto del viaje fue fantástico. Disfruté de unos días maravillosos en Nueva York.

8. Pista 44

Mi primera experiencia de lo que es un verano lluvioso la tuve el pasado mes de julio cuando decidí ir de fin de semana con mi novio a Galicia. Nosotros vivimos en Sevilla, donde casi no llueve y el sol brilla todo el año. Nada más bajar del coche tuvimos que sacar el paraguas, porque empezó a llover. El resto de la gente caminaba por la calle tranquilamente, mientras nosotros buscábamos refugio en el hotel. Al día siguiente, cuando íbamos a salir hacia nuestra primera excursión, tuvimos que cambiar de planes, porque estaba lloviendo a cántaros. A mediodía se retiraron las nubes y apareció el sol. Muy contentos nos preparamos para bajar a la playa. A la media hora de estar sentados al sol (el agua estaba bastante fría y era imposible bañarse), el cielo se nubló, empezó a lloviznar y tuvimos que volvernos al hotel. Al día siguiente nos dirigimos al cabo de Finisterre, para ver sus bonitas vistas. Nos tuvimos que llevar la chaqueta porque hacía bastante frío y allí soplaba un viento muy fuerte. Pero lo peor fue que, al llegar al mirador, no se veía absolutamente nada porque había una niebla muy espesa. Eso sí, comimos el plato de pulpo más rico que habíamos probado en nuestra vida.

UNIDAD 11

A. En el mercadillo

6. Pista 45

A. PEPA: Mira, Juani, qué jarrón tan bonito. ¿Te gusta?
JUANI: Sí, sí, es precioso.
PEPA: ¿Me lo deja ver, por favor?
VEND.: Sí, señora, ¡cómo no! Es de cerámica de Talavera.
PEPA: ¿Cuánto cuesta?
VEND.: 30 €.
JUANI: Es un poco caro. Nos lo dejará usted un poco más barato.

VEND.: Venga, se lo dejo en 18 €. ¿De acuerdo?
PEPA: Vale, nos lo llevamos. ¿Nos lo podría envolver para regalo?
VEND.: No hay problema. Ahora mismo.

B. PEPA: El domingo me voy a la playa y no tengo zapatillas.
JUANI: Pues mira esas de ese puesto, qué bonitas son.
PEPA: ¿Las tendrán en mi número? Se lo voy a preguntar. "¡Oiga, por favor! ¿Tiene usted esas zapatillas de color naranja en el número 38?".
VEND.: Un momento, señora, que lo miro. Ha habido suerte. Aquí tenemos un par. Pruébeselas, si quiere.
PEPA: Déjemelas, por favor. ¿Te gusta cómo me quedan, Juani?
JUANI: Sí, son preciosas. Además tiene ese bolso haciendo juego.
PEPA: ¿Cuánto vale el bolso?
VEND.: Si se lleva las dos cosas, se las dejo en 50 €.
PEPA: ¿50 €? Hágame una rebaja o, si no, no me las llevo.
VEND.: 40 € y no se hable más.
PEPA: Venga, vale, póngamelas.

C. PACO: Hola, buenos días. Mire, que me compré estos pantalones la semana pasada y me están un poco pequeños. Venía a ver si tiene una talla más.
VEND.: Déjeme ver. Esta es la 38 y usted necesitaría la 40. Vamos a ver. Pues sí que la hay. Debería probárselos. Pase por aquí, que tenemos un probador.
PACO: Ésta es mi talla. Me los llevo. ¿Tengo que pagarle algo?
VEND.: No, no. Cuestan lo mismo. Lo que hace falta es que le queden bien.
PACO: Bueno, pues nada. Muchas gracias. ¡Hasta otro día!
VEND.: Adiós, buenos días.

UNIDAD 12

B. ¿Quieres venir a mi casa en Navidad?

6. Pista 47

Los componentes principales de la Navidad chilena son el viejito pascuero, el pan de pascua, la bebida llamada cola de mono y el calor.

Nuestro viejito pascuero tiene una gran barriga y una barba blanca, viene con un traje rojo y el saco lleno de regalos. Entra en las casas por la chimenea o las ventanas para dejar los regalos.

Las familias cenan ensaladas y pavo y beben *cola de mono*, que es una especie de ponche hecho de pisco o aguardiente, café con leche, azúcar y canela. Tampoco falta el *pan de pascua*, una masa alta horneada, rellena de frutas confitadas, pasas y frutos secos, que se puede encontrar en cualquier esquina y en todas las confiterías.

Los niños dejan los zapatos debajo del árbol de Navidad, adornado con trozos de algodón, que recuerdan a la nieve, y bolas de colores. Después de la medianoche el viejito pascuero dejará en los zapatos los regalos que cada uno ha pedido.

La calurosa Navidad chilena dura hasta el cinco de enero. A partir de ahí empiezan las vacaciones de verano, el calor y la playa.

C. Gente

3. Pista 48

LOCUTOR: Buenas tardes, hoy vamos a entrevistar a Sonia, la cantante gaditana que se presentó al programa de Operación Triunfo.

LOCUTOR: Sonia, ¿quién es la persona de tu familia que más admiras?

SONIA: Mi madre.

LOCUTOR: ¿En qué parte de la casa te sientes más cómoda?

SONIA: En mi dormitorio.

LOCUTOR: ¿Sabes cocinar?

SONIA: Sí, un poco.

LOCUTOR: ¿Cuál es tu plato preferido?

SONIA: La paella.

LOCUTOR: ¿Te gustan los animales?

SONIA: Sí, tengo dos perros.

LOCUTOR: ¿A qué lugar del mundo te gustaría viajar?

SONIA: A la India.

LOCUTOR: ¿Qué tipo de música escuchas normalmente?

SONIA: Me gusta el pop y a veces escucho música romántica.

LOCUTOR: ¿Quién es tu actor/actriz preferido?

SONIA: Javier Bardem.

LOCUTOR: ¿Cuántos idiomas hablas?

SONIA: Inglés y un poco de francés.

LOCUTOR: ¿Qué haces cuando estás nerviosa?

SONIA: Canto, o llamo por teléfono a alguien.

LOCUTOR: ¿Qué es lo que más te molesta de la gente?

SONIA: Que no sea sincera.

LOCUTOR: ¿A qué tienes miedo?

SONIA: A la muerte.

LOCUTOR: ¿Cuál es tu principal virtud?

SONIA: Soy ambiciosa, consigo lo que quiero.

LOCUTOR: ¿Cuál es tu principal defecto?

SONIA: La ambición se vuelve a veces contra mí.

LOCUTOR: ¿Qué planes tienes para las vacaciones del año próximo?

SONIA: No tengo planes porque tengo una gira en verano.

LOCUTOR: ¿Qué te gustaría hacer cuando te jubiles?

SONIA: No lo he pensado, de momento sólo pienso en cantar.

Pronunciación y ortografía

2. Pista 49

A. ¡Hola, feo! ¿Cómo te va todo? Yo voy en el bus de camino a la universidad. ¿Te apetece que nos tomemos un café?

B. Papá, estoy en la biblioteca y tardaré una media hora. Luego nos vemos. Un beso.

C. ¿Vamos al cine esta tarde? Quiero ver *El señor de los anillos*.

D. ¡Hola!, ¿qué tal? No puedo ir contigo al cine. Mañana tengo un examen de matemáticas. Nos vemos el lunes.

E. ¡Hola, Jose! Lo siento, pero no te he podido llamar porque no tengo batería. Cuando llegue a casa te llamo y hablamos.